Lisa McMann
Cryer's Cross

Weitere Titel der Autorin:

Wake – Ich weiß, was du letzte Nacht geträumt hast
Dream – Ich weiß, was du letzte Nacht geträumt hast

Titel in der Regel auch als E-Book erhältlich

Lisa McMann

CRYERS'S CROSS

Übersetzung aus dem amerikanischen Englisch
von Tanja Ohlsen

Baumhaus

Titel der amerikanischen Originalausgabe:
»Cryer's Cross«

Für die Originalausgabe:
Copyright © 2011 by Lisa McMann / Simon & Schuster

Für die deutschsprachige Ausgabe:
Copyright © 2012 by Bastei Lübbe GmbH & Co. KG, Köln
Lektorat: Kristin Overmeier
Umschlaggestaltung: Maximilian Meinzold, München;
unter Verwendung eines Motivs von © shutterstock/Lia Koltyrina
Satz: Helmut Schaffer, Hofheim
Gesetzt aus der Bembo
Druck und Einband: GGP Media GmbH, Pößneck

Printed in Germany
ISBN 978-3-8339-0162-1

5 4 3 2 1

Sie finden uns im Internet unter www.baumhaus-verlag.de
Bitte beachten Sie auch www.luebbe.de

Für Kennedy

Wir

Wenn es vorbei ist, atmen Wir auf und seufzen
wie alte Eichen, wie abblätternde Birkenrinde.
Eine Unserer verlorenen Seelen wurde befreit.
Wie Schachfiguren im dunklen Raum ziehen Wir
die gusseisernen Beine zentimeterweise voran, mit
den stummen Schreien eingeritzter Botschaften.
Wir rufen Unser nächstes Opfer. Unseren nächsten
Retter. In Unser Angesicht ritzen Wir:

Berühre mich!
Rette mich!

I

Als Tiffany Quinn verschwindet, wird alles anders.

Von den 212 Einwohnern von Cryer's Cross, Montana, helfen 178 Sheriff Greenwood bei der tagelangen Suche, immer von Sonnenauf- bis nach Sonnenuntergang. Die Schule ist geschlossen, alle Schüler sind unterwegs und suchen auf Straßen und Farmen, laufen über Pferde- und Rinderweiden, über frisch gesetzte Kartoffeln, durch Roggen- und Weizenfelder. Sie gehen bis zu den Hügeln und entlang des Waldes wieder zurück. Sie gehen in Zweier- oder Dreiergruppen, manche nervös, manche weinend, andere entschlossen. Ab und zu rufen sie anderen Gruppen etwas zu, damit nicht noch jemand verloren geht – Handys nutzen hier draußen nicht viel, Cryer's Cross liegt in einem Funkloch.

Nach fünf Tagen gibt es immer noch keine Spur von Tiffany Quinn. Unglaublich, aber sie ist einfach verschwunden. Unglaublich, weil es einfach lächerlich ist, zu denken, dass in dem kleinen Städtchen Cryer's Cross ein Verbrechen geschehen könnte. Und dass dieser nette kleine Bücherwurm aus der neunten Klasse einfach so davonläuft, ganz allein … das ist einfach unmöglich.

Aber sie ist weg.

Doch die Suche geht weiter.

Kendall Fletcher zuckt zusammen und sieht sich aus Gewohnheit regelmäßig um. Das Verschwinden des jüngeren Mädchens macht ihr Angst, klar, es beunruhigt sie jedoch auch, dass ihr Stundenplan so durcheinandergebracht wird. Die letzte Woche ihres Junior-Jahres ist ausgefallen, dadurch ist alles irgendwie unvollendet und offen geblieben. Ihr ganzer Tagesrhythmus ist aus dem Takt geraten.

Sie läuft viele hundert Hektar des Landes ihrer Eltern ab und sucht dann im Wald weiter. Zwischen Kartoffeln, Kornfeldern und Bäumen zählt sie sorgsam ihre Schritte. Immer, immer zählt sie irgendetwas.

Neben ihr geht ihr bester Freund Nico Cruz.

Ihr fester Freund, würde er sagen.

Doch ein fester Freund bedeutet Verpflichtungen, und Verpflichtungen, die sie nicht einhalten kann, machen Kendall nervös.

»Komm«, sagt sie, »lass uns laufen!«

Sie sprintet über das Feld, und Nico rennt ihr hinterher. Sie kommen an einem provisorischen Fußballfeld vorbei, das inmitten der Felder liegt, und rufen gelegentlich: »Tiffany!« Als sie die Grenze zum Grundstück von Nicos Familie überqueren, bemerken sie auf einmal einen großen braunen Klumpen zwischen der ungepflasterten Straße und dem Haferfeld. Doch es ist nicht Tiffany. Es ist nur ein überfahrenes Reh.

Sie ist nicht dort. Sie ist nirgendwo.

Da es anfängt zu regnen, machen sie eine Pause unter einem Baum am Rand der Farm. Kendall zählt die Tropfen, die in immer schnellerer Folge auf den grauen Boden fallen.

Nico redet, doch Kendall hört nicht zu. Sie muss erst bis hundert zählen, bevor sie aufhören kann.

Irgendwann wird die Suche abgebrochen. Jetzt kann man vor Ort nichts mehr tun, es müssen Profis kommen. Es ist Hauptpflanzzeit. Sowohl die Farmer als auch die Schüler haben ihre Verpflichtungen. Und manche auch zusätzliche Jobs, wenn sie in der Stadt oder für einen der Bauern oder Farmer arbeiten. Das Leben muss weitergehen.

Für Kendall ist es ein langer, heißer Sommer voller harter Arbeit. Für alle ist es das.

Nach ein oder zwei Monaten hört man auf, über Tiffany Quinn zu sprechen.

2

Als die Schule im September wieder anfängt, kommt Kendall wie immer als Erste in der Highschool an, die nur aus einem einzigen Raum besteht. Bloß der alte Mr Greenwood, der Teilzeithausmeister, der sich in sein Versteck im Keller zurückzieht, wenn die Schüler kommen, ist vor ihr da.

Kendall ist braun gebrannt und nicht gerade außerordentlich groß. Sportlich. In ihren langen braunen Haaren glänzen natürliche helle Strähnen, weil sie den ganzen Sommer lang Traktor gefahren ist und auf der Farm gearbeitet hat.

Dort oben auf dem Traktor hatte sie zu viel Zeit zum Nachdenken, denn er braucht nur ein GPS-Signal, damit er die Reihen entlangfährt. Und wenn der Rundenzähler kaputt ist und das Gehirn gestört, dann wirbeln darin immer dieselben Gedanken in einer Endlosschleife herum. Tiffany Quinn. Tiffany Quinn. Tiffany Quinn.

Kendall stellt sich alle möglichen Szenarien für Tiffany vor. Weglaufen. Verlaufen. Entführung. Vielleicht sogar Vergewaltigung und Mord. Sie fragt sich, was wirklich passiert ist und ob sie je die Wahrheit erfahren werden. Sie stellt sich vor, dass das alles ihr selbst passiert, und muss bei dem Gedanken fast weinen. Sie stellt sich vor, wie Tiffany schreit und um ihr Leben fleht ...

Kendall steigen Tränen in die Augen, wenn sie sich an diesen Sommer erinnert, in dem sie mit dem Traktor über die Felder gefahren ist und sich mit solch furchtbaren Dingen beschäftigt hat. Es schien so real, so schrecklich, als ob jederzeit jemand aus dem Wald kommen und sie überfallen könnte.

Sie weiß, dass ihre Gedanken zum Teil irrational sind. Sie weiß es und hat es immer gewusst, selbst in der fünften Klasse, als sie sich mehrere Kleidungsschichten angezogen hatte – vier T-Shirts, drei paar Unterhosen, Shorts unter der Jeans – und sich trotzdem vor Panik und Nervosität die Augen ausgeheult hatte, vor lauter Angst, man könne sie durch ihre Sachen hindurch nackt sehen. Es war eine schreckliche Zeit gewesen. Doch die Psychologin in Bozeman hat ihr geholfen. Sie hat ihr die Sache mit den obsessiven Zwangsstörungen erklärt, und irgendwann ging diese eine Phase vorbei, nur um von anderen Neurosen und Zwängen ersetzt zu werden.

Sie ist nicht verrückt. Sie kann nur nicht aufhören, über etwas nachzudenken, wenn sich komische Ideen in ihrem Kopf festsetzen. Und sie kann es nicht verhindern, dass sie sich ständig umsieht – es ist ihr neuester Tick. Die ganze Sache mit Tiffany hat sie etwas zurückgeworfen.

Sie ist froh, wieder zur Schule zu gehen, auch wenn sie ein wenig traurig darüber ist, wie das letzte Schuljahr zu Ende ging. Trotzdem freut sie sich darauf, das neue Jahr zu beginnen, neue Gedanken zu haben, neue Aufgaben, die ihr Gehirn beschäftigen – einfache, harmlose Dinge. Und außerdem beginnt das Fußballtraining bald wieder, neue DVD-Tänze müssen einstudiert werden – es gibt also einiges, womit sie Körper und Geist beschäftigen kann, und das ist eine Erleichterung.

An diesem ersten Tag räumt sie das Klassenzimmer

so auf, wie es der alte Mr Greenwood nie tut. Sie dreht
den Mülleimer so, dass die Delle in die richtige Richtung zeigt, legt die Tafelkreide ordentlich hin, sortiert
sie farblich nach den Regenbogenfarben und zupft die
Vorhänge zurecht. Dann stellt sie die Pulte in ordentli-
chen Quadranten zusammen, jeweils sechs Tische für jede
Highschool-Klasse. Sie schafft Gänge, damit die Lehrerin zwischen den Bereichen hindurchlaufen und sich um
jede Klasse einzeln kümmern kann, anstatt alle vierundzwanzig Bänke vor sich zu haben. So mag Kendall es.

Niemand hat sich jemals beschwert.

Niemand weiß es.

Die Pulte sind uralt und robust. Sie stammen aus den
fünfziger Jahren und wurden vom Staat sonst woher zu-
sammengesammelt. Es ist anstrengend, sie alle umzustel-
len, aber als alles wieder seine Ordnung hat, fühlt sich
Kendall besser. Sie sieht, wo ihr alter Tisch gelandet ist,
er steht dieses Jahr im Quadranten der Neuntklässler. In
der zehnten gibt es jetzt einen freien Platz, es sei denn,
die Gerüchte stimmen. Nico sagt, es sei eine neue Familie in die Stadt gezogen, obwohl Kendall noch niemand
Fremden gesehen hat. Sie hofft, dass jemand den leeren
Platz von Tiffany einnehmen wird, damit auch in diesem
Teil des Klassenzimmers wieder alles stimmt. Obwohl es
natürlich am besten wäre, wenn Tiffany einfach zurück-
käme. Aber Sheriff Greenwood und die lokalen Nachrichtensprecher halten das für unwahrscheinlich. Nicht
nach so langer Zeit.

Kendall zieht die Vorhänge weit genug zur Seite, dass
sie am Rand mit der Fensterlaibung abschließen. Dann
gewinnt ihre irrationale Furcht die Oberhand, und sie
überprüft die Fensterverriegelungen, müht sich erst damit
ab, die Fenster aufzumachen, um zu sehen, ob die Riegel

stabil sind, und lässt dann die Finger prüfend über jedes einzelne Schloss gleiten.

»Alles gecheckt, alles in Ordnung«, stellt sie fest. Es ist zwar niemand da, der sie hören kann, doch wenn sie es nicht laut sagt, zählt es nicht.

Als sie die ersten Schüler durch den Garten in die kleine Schule kommen sieht, betrachtet Kendall ihr Werk. Die Tür geht auf. Kendall geht zu ihrem neuen Platz im Quadranten für die Zwölftklässler, nimmt ein antiseptisches Tuch aus der Büchertasche und wischt schnell ihr Pult ab, bevor es jemand bemerkt und sich über sie lustig macht. Sie muss sich nicht zwanghaft die Hände waschen wie andere, aber sie weiß gerne Bescheid über den aktuellen Bakterienstand ihres persönlichen Arbeitsplatzes zu Beginn eines neuen Schuljahres.

Tut das nicht jeder?

Jetzt hat Nico sie entdeckt und kommt auf sie zu. Das glatte, weißblonde Haar hängt ihm in die Augen. Er hat den Namen seines spanischen Vaters, aber das Aussehen seiner holländischen Mutter. Nico wirft die Haare zurück und grinst Kendall schwach an, lässt seine Tasche auf den Boden fallen und setzt sich an das Pult rechts von ihr.

»Diese Tische werden auch nicht größer«, bemerkt er, während er versucht, seine Knie unter der Metallablage zu verstauen. Dann gibt er ihr einen Kuss auf die Wange.

»Hi. Tut mir leid, dass ich so spät bin. Kommst du am Samstag mit nach Bozeman?«

»Wozu?«

»Ich will mir die Montana State ansehen. Und die Schwesternschule.«

Der Junge hinter ihnen kichert. »Schwester Nico.«

»Klappe, Brandon«, befiehlt Nico ruhig. Ohne hinzusehen, holt er mit dem Arm aus und trifft Brandon seitlich am Kopf.

»Gerne«, erwidert Kendall. »Ich will mir auch mal das Theater- und Tanzprogramm ansehen, für alle Fälle.«

Nico lächelt mitfühlend. »Immer noch nichts?«

»Nein.« Die Chance, dass ein Mädchen vom Land mit sehr wenig schulischer Ausbildung in Theater oder Tanz einen Platz an der Juilliard bekommt, ist wahrscheinlich gleich null, aber Kendall sieht keinen Grund, nicht ganz oben anzufangen.

Während die Schüler hereinströmen, zählt Kendall sie langsam. Tiffany Quinn und die Zwölftklässler des letzten Jahres zieht sie ab und addiert dafür die neuen Neuntklässler.

Ms Hinkler erklärt den Kleinsten die Sitzordnung. Außerdem berichtet sie den lärmenden Schülern, dass sie in diesem Jahr zwei neue Mitschüler bekommen. Die Gerüchte von der neuen Familie scheinen zu stimmen. Cryer's Cross ist offensichtlich eine Boomtown.

»Sieht aus, als hätten wir dieses Jahr volles Haus«, raunt Kendall. Vierundzwanzig Schüler. Perfekt.

Die beiden Neuen treten ein und werden neugierig gemustert. Ms Hinkler trägt sie ein und weist ihnen ihre Plätze zu. Einen der beiden schickt sie in den Quadranten der Zwölftklässler. Stirnrunzelnd blickt er an Kendall vorbei.

»Hi«, sagt Kendall, als er an dem einzigen freien Tisch stehen bleibt, dem Platz links neben ihr.

Der Junge murmelt etwas, sieht sie aber nicht an. Wortlos setzt er sich und stellt den Rucksack unter dem Pult ab.

Nico lehnt sich über Kendalls Tisch. »Hi. Ich bin Nico. Wie geht's?«

Der Junge nickt fast unmerklich, schweigt aber weiterhin.

Nico zieht eine Augenbraue hoch.

Kendall lacht. »Okay«, sagt sie. »Das kann ja lustig werden.«

Sie betrachtet den Neuen von der Seite. Er wirkt kräftig und muskulös. Mittelbraune Haut, dunkles, welliges Haar. Seine Kleidung ist nichts Besonderes, aber sauber und ordentlich. Die Schuhe sind staubig wie bei allen anderen. Cryer's Cross könnte etwas Regen brauchen.

Die andere neue Schülerin geht in die Neunte. Auch sie hat braune Haut, mit ein paar dunkleren Sommersprossen auf Nase und Wangen. Schwarzes, lockiges Haar. Die beiden sehen sich unglaublich ähnlich.

»Ist das deine Schwester?«, fragt Kendall.

Der Neue schließt die Augen und tut so, als schliefe er mit vor der Brust verschränkten Armen. Kendall seufzt. Dann wendet sie ihre Aufmerksamkeit ihrem neuen Tisch zu und liest die eingeritzten Sprüche. Natürlich kennt sie sie längst – seit Jahren liest sie die Kritzeleien schon und prägt sie sich ein. Sie kennt jedes Pult auswendig, sie kann es nicht ändern. Es ist eine dieser Zwangssachen.

Es ist echt anstrengend, Kendall zu sein.

Nachdem Ms Hinkler alle neuen Schüler eingetragen hat, stellt sie sie der Schule vor. Wie jeder hier kennt Kendall sie fast alle. Von einigen arbeiten die Eltern auf Fletchers Kartoffelfarm. Aber sämtliche Augen sind auf die beiden neu Zugezogenen gerichtet. Das Mädchen heißt Marlena und der Junge Jacián Obregon. Ms Hinkler stolpert bei der Aussprache über den Namen.

»Nicht JAY-si-an.« Er scheint plötzlich aufgewacht zu sein und korrigiert sie. »Chah-si-ANN.«

Ms Hinkler wird rot.

»Entschuldigung.« Dann wiederholt sie es richtig. Jacián Obregon. Klingt wie eine Melodie. Oder eine Tragödie.

Für Kendall, die zwischen Nico und Jacián sitzt, den dämlichen Brandon hinter sich und neben ihm noch zwei Kerle, Travis Shank und Eli Greenwood, den Sohn des Sheriffs und den Enkel des Hausmeisters, ist es ein anstrengender, testosterongeladener Tag. So war es schon immer. Sie ist das einzige Mädchen ihres Alters in der ganzen Stadt. Wenn endlich mal ein neuer Schüler in ihre Klasse kommt, muss es natürlich noch ein Junge sein.

Aber Nico ist wie immer da. Seit sie Kleinkinder waren, ist er ihr bester Freund. Er weiß alles über Kendalls Zwangsneurosen, und es stört ihn nicht im Geringsten. Der beste Junge der Welt? Für Kendall schon. Sie lächelt ihn breit an, als sie ihm den Stundenplan weiterreicht.

Beim Mittagessen teilen sich Kendall und Nico die Sandwiches, wie sie es seit dem Kindergarten tun – außer wenn Nico Thunfischsandwiches dabeihat, denn die kann sie nicht ausstehen. Sie sitzen im Gras, essen und unterhalten sich über mögliche Colleges und darüber, wie schlimm es sein wird, wenn sie getrennt sind.

Nach der Schule gehen Kendall und Nico zum Fußballtraining. Fußball wird hier von Mädchen und Jungen zusammen gespielt, und alle Altersgruppen sind gemischt, denn für ein Mädchenteam gibt es nicht genügend Mädchen an der Highschool von Cryer's Cross, und es wollen auch nicht genügend Schüler Fußball spielen, um eine Jugendmannschaft zu bilden. Kendall ist die Einzige, die dabeibleibt. Und sie ist besser als die meisten Jungs.

Als sie mit ihren Dehnübungen fertig ist, kommt Jacián auf das Spielfeld. Er trägt Nike-Fußballkleidung, als würde die Firma ihn sponsern. Kendall joggt auf ihre Position, ein Gummiband zwischen den Zähnen, um ihre Haare zu einem Pferdeschwanz zu binden, während sie ihn beobachtet. Sie erkennt sofort, dass er sportlich ist. Sie sagt sich in Gedanken seinen Namen vor, um nicht zu vergessen, wie er ausgesprochen wird. Es gibt nicht viele Jaciáns in der Gegend.

Einen Augenblick später kommt Marlena zum Trainieren, in weniger auffälliger Sportkleidung. Als sie Jacián sieht, läuft sie auf ihn zu.

Kendall starrt sie an.

»Spielen sie etwa beide?«, fragt sie Nico leise.

»Sieht so aus.« Nico nimmt einen Ball aus dem Netz und lässt ihn auf dem Boden vor Kendall aufspringen, die ihn mit dem Fuß einfängt und automatisch von den anderen wegdribbelt.

»Na, wir können auf jeden Fall noch Spieler im Team gebrauchen.«

Sie spielen den Ball hin und her. Kendall muss an die vier Mannschaftsmitglieder denken, die das Team nach ihrem Abschluss im letzten Schuljahr verlassen haben.

»Ja, wir könnten echt noch ein paar Spieler gebrauchen, denn nur einer der Neuntklässler will mitmachen, soweit ich weiß. Und das neue Mädchen. Ich nehme an, der Trainer nimmt jeden, der irgendwie laufen kann. Aber wir sind immer noch zu wenige. Wie viele genau, Nummerngirl?«

»Acht«, antwortet Kendall automatisch.

»Autsch.« Er kratzt sich am Kopf. »Ich hoffe, unser Trainer kann noch ein paar Leute rekrutieren, ansonsten ist das der reinste Selbstmord, wenn wir gegen eine komplette Mannschaft spielen.«

Kendall blinzelt und zuckt dann mit den Schultern. »Wir sind nicht das einzige Team, das zu wenige Leute hat. Und wir kommen mit acht aus. Obwohl es natürlich toll wäre, gegen die Bozeman-Teams mit einer vollzähligen Elfer-Mannschaft zu spielen.« Sie sieht den Obregons beim Dehnen zu und freut sich darauf, gleich zu erfahren, was sie draufhaben. »Weißt du, es ist wirklich nett, noch ein Mädchen dabeizuhaben«, meint sie schließlich. »Jacián allerdings … Na ja, es macht wahrscheinlich keinen Unterschied.«

Als Jacián bei einem Gerangel während des Vier-gegen-vier-Trainings Kendall über den Haufen rennt und sie keuchend am Boden liegt, stellt sie allerdings fest, dass es sehr wohl einen Unterschied macht.

»Blödmann«, beschwert sie sich, als sie wieder atmen kann. »Trainer! He, das war ein Foul!« Sie steht auf und rennt los, um ihr Tor zu schützen, aber es ist zu spät. Jacián erzielt ein Tor gegen ihr Team.

3

Nach dem Training folgt Kendall Marlena in die winzige Umkleide der Mädchen, die eher ein an das Schulhaus angebauter Schuppen ist.

»Ihr zwei seid gut«, bemerkt Kendall.

Marlena lächelt. »Danke. Jacián ist gut. Bei mir geht es so.« Ihre Stimme klingt warm und herzlich.

»Du bist um einiges besser als Brandon«, stellt Kendall großzügig fest.

»Welcher ist das?«

»Der unreife Zwölftklässler mit den hellbraunen Haaren. Ziemlich groß und dämlich, ungefähr so.« Sie hält die Hand etwa einen Meter fünfundachtzig hoch. »Sitzt in der Schule hinter mir. Ich bin sicher, du weißt, wen ich meine. Der Typ, der während des ganzen Trainingsspiels nicht ein Mal den Ball bekommen hat, sich aber umso öfter hingelegt hat.«

»Ja«, sagt Marlena grinsend, »ich glaube, ich weiß, wen du meinst.«

Sie ziehen die Sportsachen aus. Es gibt keine Duschen in dem Schuppen, aber immerhin ein Waschbecken, an dem sie sich etwas frisch machen. Anschließend benutzen sie Deo und ziehen ihre Alltagskleidung wieder an.

»Und was hat dein Bruder für ein Problem?«, erkundigt sich Kendall.

Fragend zieht Marlena eine Augenbraue hoch. »Wie meinst du das?«

»Er ist nicht gerade freundlich und redet kein Wort.«

»Ach so, das. Er ist nur wütend«, erklärt Marlena. Sie senkt die Stimme, obwohl außer ihnen keiner da ist. »Er will eigentlich nicht hier sein.«

»Warum nicht?«

Marlena zuckt mit den Schultern. »Er musste für das letzte Schuljahr von all seinen Freunden wegziehen. Auch von seiner Freundin, mit der er jetzt eine Fernbeziehung führen will. Und als wir hergekommen sind … Na, das weißt du ja bestimmt.«

»Was weiß ich?«

»Dass der Sheriff zu uns gekommen ist. Gleich als wir eingezogen sind. Hast du das nicht mitbekommen? Hier scheint doch jeder zu wissen, was der andere macht.«

Kendall schüttelt den Kopf. »Ich weiß von nichts. Ich habe den ganzen Sommer lang jeden Tag zwölf Stunden auf einem Traktor in Isolationshaft gesessen. Was ist denn passiert?«

Marlena zieht ein Kosmetiktäschchen aus ihrem Rucksack und trägt Eyeliner auf. »Nun ja, wir sind im Mai hierhergezogen, direkt nachdem unser Schuljahr in Arizona zu Ende war. Kurz bevor diese Tiffany verschwunden ist. Sheriff Greenwood und die Polizei dachten vielleicht, dass Jacián etwas damit zu tun haben könnte.«

Kendall reißt die Augen auf. Ihr Herz setzt einen Moment aus, und die irrationale Furcht steigt wieder in ihr auf.

»Oh …« Die Worte bleiben ihr in der Kehle stecken, und die schlimmen Gedanken beginnen zu kreisen.

»Natürlich hat er das nicht. Und nach einer Weile hat der Sheriff aufgehört, ihn zu belästigen.« Stirnrunzelnd trägt Marlena Lipgloss auf. »Jacián war allerdings richtig genervt und hat den Sheriff einen Rassisten genannt.«

Kendall muss schlucken. »Und … warum seid ihr überhaupt hierhergezogen?«

»Wegen meines Großvaters.« Sie steckt den Deckel auf den Lipgloss und kramt in ihrer Kosmetiktasche. »Er wird alt, und seine Geschäfte laufen nicht sehr gut. Er kommt mit der neuen Technologie nicht klar und nutzt immer noch Pferde, um das Vieh zusammenzutreiben. Ist das zu fassen? Meine Eltern haben sich entschlossen, herzukommen und die Sache in die Hand zu nehmen. Die Familie bedeutet ihnen viel. Uns allen.« Marlena dreht sich zu Kendall um. »Hey, alles in Ordnung mit dir?«

Kendall hört auf, Marlena anzustarren, dreht den Wasserhahn auf und wäscht sich die Hände, damit sie stattdessen auf das Wasser starren kann. »Warte mal … Wer ist denn dein Großvater? Ich kenne hier keine Obregons.«

»Es ist der Vater meiner Mutter. Hector Morales. Wohnt eine Meile weiter an der R R-4.«

»Oh, Hectors Ranch!« Kendall lacht. »Alle lieben ihn! Wir kaufen jede Menge Sachen bei ihm – Milch und Fleisch. Ich wusste nicht, dass er Schwierigkeiten hat.« Aus irgendeinem Grund hat Kendall weniger Angst, jetzt wo sie weiß, dass Marlena und Jacián mit Hector verwandt sind.

»Meine Mutter sagt, es sei nicht so schlimm. Er kann nur nicht so viel Fleisch liefern wie früher, und im Winter hat er wohl etwas Vieh verloren. Außerdem ist er viel zu dickköpfig, um sich Hilfe zu holen, deshalb sind ihm wohl einige Geschäfte durch die Lappen gegangen. Wir werden versuchen, das wieder zu ändern.«

»Wir werden jedenfalls weiterhin bei euch einkaufen, da bin ich sicher. Und es ist cool, dass man reiten kann.

Er hat einen tollen Stall. Wenn du willst, kannst du sogar zur Schule reiten. An der Seite gibt es einen Pfosten, wo du dein Pferd anbinden kannst.«

»Echt jetzt?« Marlena grinst und nimmt ihren Rucksack. »Dieser Ort ist echt altmodisch. Zu Hause sind wir auch geritten, aber nur so zum Spaß. Es liegt uns im Blut, glaube ich. Aber bald stellen wir Großvater auf Allradantrieb um.«

Plötzlich hämmert jemand draußen an die Wand, und sie erschrickt.

»Das ist wahrscheinlich Nico«, sagt Kendall und greift nach ihrer Tasche. »Schön, dich kennenzulernen.«

Marlena lächelt. »Lass dich nicht von meinem Bruder ärgern. Er ist im Augenblick einfach auf alles wütend.«

»Aha«, sagt Kendall nur. Sie stößt die Tür auf und steht direkt vor Jacián Obregon.

Finster starrt er sie an.

Sie starrt zurück, aber ihr Magen verkrampft sich.

»Du hast mich gefoult«, stellt sie fest.

Erst sagt er gar nichts. Dann spricht er, und seine Stimme ist tiefer, als sie es erwartet hat.

»Geh mir halt aus dem Weg, wenn du nichts abkriegen willst.«

Dann ignoriert er Kendall und schaut an ihr vorbei zu Marlena.

»Komm, Lena«, sagt er scharf, dreht sich um und geht zum Parkplatz.

Marlena lächelt Kendall entschuldigend an und läuft ihm hinterher.

»Wir sehen uns morgen!«, ruft sie noch.

Kendall winkt ihr halbherzig nach, als Nico auch schon kommt. »So ein Blödmann«, sagt sie.

Nico nickt. »Ja, stimmt.«

Lächelnd läuft Kendall los. »Lass uns gehen. Ich habe noch Arbeit vor mir und die Hausaufgaben. Aber es hat gutgetan, mal wieder zu spielen, oder?«

»Es war großartig. Hast du dir wehgetan?«

»Nein. Das werde ich schon aushalten …« Sie bricht ab.

»Was ist?«

Kendall sieht nervös über ihre Schulter, als sie über die Straße gehen und die Abkürzung über ein Haferfeld einschlagen.

»Marlena hat erzählt, dass sie kurz vor Tiffanys Verschwinden hierhergezogen sind und dass Elis Dad vermutet hat, dass Jacián etwas damit zu tun hat.«

»Was? Das ist doch verrückt!«

»Ist es das? Ich meine, können wir da sicher sein? Er ist gemein. Vielleicht ist er ja auch gestört.«

»Kendall!«

»Im Ernst. Was ist, wenn er sie im Wald gefesselt hat? Oder sie in kleine Stücke gehackt hat …«

»Kendall, hör auf! Das ist lächerlich!«

Doch sie ist nicht überzeugt.

Sie gehen schweigend nebeneinander her, bis sie genau zwischen den Farmen ihrer beider Familien angekommen sind – sie liegen sich an der Straße gegenüber. Einen Augenblick lang bleiben sie mitten auf der Straße voreinander stehen und halten sich an den Händen. Dann neigt sich Nico vor und küsst sie sanft.

»Arbeite nicht so schwer«, sagt er.

»Du auch nicht. Rufst du mich um elf an?«

»Wie immer.«

Kendall lächelt. Sie lösen sich voneinander und gehen in entgegengesetzten Richtungen ihre langen Auffahrten hoch.

4

Zu Hause wirft Kendall ihren Rucksack auf den großen Eichentisch in der Küche. »Hi Mum!«, trällert sie und küsst sie auf die Wange.

»Wie war dein erster Tag?«

Mrs Fletcher steht an der Spüle und wässert ihren Kräutergarten. Sie ist groß und dunkelhaarig wie Kendall, trägt Capri-Hosen und ein rotkariertes, kurzärmeliges Hemd, das sie an der Taille zusammengeknotet hat.

»Gut.«

»War es schlimm ohne Tiffany?«

»Ja, schon ein wenig. Es ist allen aufgefallen, aber niemand hat etwas gesagt – genauso hatte ich es mir vorgestellt.«

»Wie geht es mit deinen Zwängen? Ist es ein wenig besser, jetzt, wo der Schulalltag wieder beginnt?«

Kendall bricht sich ein Stück von einem Vollkornmuffin ab und steckt es sich in den Mund.

»Viel besser. Scheiße, habe ich Hunger.«

»Liebling! Achte bitte auf deine Ausdrücke!«

»Tut mir leid. Mann, habe ich Hunger. Besser?«

»Ja.« Kendalls Mutter nickt zufrieden. »Was gibt es sonst noch Neues? Hast du Hectors Enkel kennengelernt?«

Kendall neigt den Kopf. »Du kennst sie?«

»Sie sind schon ein paar Monate hier.«

»Warum erfahre ich das als Letzte?«

»Ich wusste nicht, dass du das nicht weißt. Das Mädchen hat den ganzen Sommer an ihrem Stand auf dem Markt gesessen. Eine bemerkenswerte junge Frau.«

»Nun, ich habe den ganzen Sommer auf diesem beschissenen Traktor verbracht und zugesehen, wie meine Beinmuskulatur sich in Luft auflöst. Ich bin ganz wackelig auf den Beinen.«

»Kendall!«

»'tschuldigung. Ich habe mir die Farmersprache wieder angewöhnt. Vielleicht solltest du mich nicht so viel mit den ganzen Fluchern arbeiten lassen.«

Mrs Fletcher versucht offenbar, sich ein Grinsen zu verkneifen. »Ich weiß. Aber die Arbeit tut dir gut. So etwas bildet den Charakter.«

Kendall verdreht die Augen und nimmt den Milchkrug aus dem Kühlschrank. *Frisch wie sonst was von der Hector-Farm*, steht darauf. Wie könnte man Hector nicht lieben? Sie gießt die Milch in ein riesiges Glas, trinkt es in einem Zug leer und knallt es dann auf den Küchentresen. »Ist Post gekommen?«

»Nicht von der Juilliard.«

Enttäuscht rümpft Kendall die Nase. »Na gut. Also, was muss gemacht werden, bevor ich mit dem Tanzen anfangen kann?«

»Dad sieht heute auf dem Südwestfeld nach, wann wir ernten können. Er will, dass du hinauskommst, damit er dir zeigen kann, wie er das macht. Dann gibt es Abendessen und dann die Hausaufgaben. Dann kannst du üben.«

»Riesenseufzer, Mum«, nörgelt Kendall. »Ich bin Kartoffeln so leid, dass ich schreien könnte.«

»Noch sechs Wochen, dann ist es so gut wie vorbei.«

Kendall beginnt zum Feld zu joggen, doch die Milch schwappt in ihrem Magen und ihre Oberschenkel brennen vom Fußballtraining, und sie entschließt sich zu einem Spaziergang. Selbst hier auf ihrem eigenen Gelände fühlt sich Kendall unwohl dabei, alleine zu laufen. Auf dem Weg zum Südwestfeld sieht sie sich alle dreißig Schritte nervös um.

Nach ein paar Minuten hört sie die vertraute Stimme ihres Vaters und geht zu ihm.

»Hi Daddy!«

»Wie geht es meinem Mädchen?«, fragt Mr Fletcher und umarmt Kendall, darauf bedacht, sie mit seinen schmutzigen Händen nicht zu berühren.

»Gut, jetzt, wo ich bei dir bin«, antwortet sie ernst. »Was hast du da?«

»Das hier nennt man Kartoffel«, erwidert Mr Fletcher.

»Faszinierend.«

Gemeinsam laufen sie ein paar Reihen voneinander entfernt das Feld ab und bleiben ab und zu stehen, um die Knollen auf ihre Reife, Fäule und Ungeziefer zu prüfen. Kendalls Gedanken schweifen ab, und zufällige Erinnerungen an den bisherigen Tag machen sich in ihrem Kopf breit.

»Maschinen sind gut«, doziert Mr Fletcher, »aber sie können das menschliche Auge oder das Gespür einer Hand nicht ersetzen. So muss man sich um seine Saat kümmern, du musst eins mit ihnen sein, um Kartoffeln zu erschaffen, die deine Liebe erwidern.«

»Jaja«, antwortet Kendall geistesabwesend. Sie stellt sich gerade vor, wie Jacián davonschleicht, um arme unschuldige Mädchen zu entführen, zu ermorden und in Stücke zu hacken.

Als sie mit den Hausaufgaben fertig ist, ist es halb zehn. Ihre Beine schmerzen, aber sie hat noch keine Zeit, um ins Bett zu gehen. Sie legt eine DVD ein und setzt sich in ihrem Zimmer auf den Fußboden, um sich zu dehnen und aufzuwärmen. Um Viertel vor zehn beginnt sie mit den Positionsübungen des Balletts und arbeitet dann an ihrer Choreographie, die sie sich für das Bewerbungsvideo für die Juilliard selbst erarbeitet hat. Es tut gut. Aber sie ist erschöpft.

Als Nico sie um elf Uhr versucht anzurufen, um ihr Gute Nacht zu wünschen, schläft sie schon. Aber es ist ein guter Schlaf. Beschäftigt und erschöpft zu sein ist für Kendalls Gehirn das Beste.

Sie hat sogar vergessen, sechsmal ihren Fensterriegel zu überprüfen.

Wir

Fünfunddreißig. Einhundert. Fünfunddreißig.
Einhundert. Wir kennen. Das Gewicht, die
Hitze. Wieder kämpft das Leben gegen Uns. Ein
Herzschlag, ein Puls hinter gespannter Haut.

Bitte.
Hilf mir.

5

Am nächsten Morgen steht Kendall um sechs Uhr auf. Sie setzt sich an ihren Laptop und sieht sich die Homepage des Jugendtheaters in Bozeman an. Sie will herausfinden, welche Stücke im Herbst geplant sind und ob es zeitlich möglich ist, ein Theaterstück zwischen Fußball und den Rest zu schieben. Im letzten Frühling hat sie die Rolle der Miss Dorothy in *Modern Millie* bekommen. So viel Spaß hat Kendall in ihrem ganzen Leben noch nicht gehabt, und sie wurde sogar für einen lokalen Jugend-Theaterpreis nominiert. Nicht schlecht für ihr erstes Musical.

Aber Kendall weiß schon seit Langem, dass sie singen, tanzen und schauspielern möchte. Schon als kleines Kind hat sie ganz allein in der Scheune ihre Stücke inszeniert, und wenn sie nicht Nico, Eli, Travis oder sogar den blöden Brandon überreden konnte, mitzumachen, hat sie einfach Katzen als Schauspieler eingesetzt.

Nico hat meistens mitgemacht. Er ist der nächste Nachbar, und ihre Mütter waren schon miteinander befreundet, bevor die beiden geboren waren. Nico hat fast allem zugestimmt, um was Kendall ihn gebeten hat, außer wenn es darum ging, zu singen oder zu tanzen. Kendall war damit schnell einverstanden, nachdem sie feststellen musste, dass er in beidem eine totale Niete war.

Kendall klickt sich auf die Webseite des Theaters und

sieht, dass sie ein Vorsprechen für Grease haben. Doch als sie den Probenplan studiert, weiß sie, dass es unmöglich ist. Sie kann nicht während der Ernte und der Fußballsaison mehrmals wöchentlich nach Bozeman fahren. Zu weit weg. Zu viele andere Termine und Pflichten.

Zu viele blöde Kartoffeln.

Sie sieht noch schnell nach ihren E-Mails, klappt dann den Laptop zu und macht sich bereit für die Schule.

***

In der Schule ist es ziemlich genau so wie am Tag zuvor. Kendall dreht den Mülleimer um, richtet die Kreide aus, zieht die Vorhänge auf, überprüft die Fenster und streicht mit den Fingern über die Riegel.

»Alles gecheckt und in Ordnung«, flüstert sie. Dann nimmt sie noch kleine Veränderungen an den Tischen vor.

Sie sieht die Schüler kommen. Die meisten sind zu Fuß da, ein paar kommen mit Autos oder Pick-ups. Kendall versucht, Cryer's Cross durch die Augen eines Neuankömmlings wie Marlena zu sehen. Manche Schüler tragen Cowboyhüte und Stiefel, andere Sachen von Gap, Levi's oder Target oder auch Selbstgenähtes. So schlimm ist es gar nicht, findet sie.

Als Nico die Schule betritt, muss Kendall lächeln. Sie ist stolz darauf, dass er Krankenpfleger werden will. Seit sie klein waren, hat er Katzen und Farmtiere verarztet. Die anderen Jungen wie Brandon sind einfach blöd, wenn sie sich darüber lustig machen.

Die Schule beginnt. Ms Hinkler verteilt Texte und Aufgaben an die oberen Klassen und verbringt dann die meiste Zeit mit den Achtklässlern, damit diese sich an sie gewöhnen und lernen, wie es in der Schule läuft.

Im Teil der Zwölftklässler schlafen Brandon und Travis. Eli Greenwood liest eine Zeit lang, dann fängt er an, mit dem Bein zu zappeln und den Rand seines Englischbuches vollzukritzeln. Jacián löst Trigonometrieaufgaben auf einem Zettel, um sich anschließend auf seinem Stuhl zurücksinken zu lassen und mit dem Finger die Kritzeleien auf seinem Tisch nachzumalen. Nico stützt den Kopf auf einen Arm und legt den anderen neben sein offenes Physikbuch. Seine Augen fallen zu. Kendall tut so, als würde sie lesen, träumt aber vom Broadway.

Schauspielern hat etwas, das Kendalls überaktive Fantasie beruhigt. Es ist, als ob die Konzentration, die die Schauspielerei benötigt, die Aufmerksamkeit von den endlosen Gedankenschleifen ablenkt, die ihr gelegentlich irrationales Verhalten lenken. Und das will sie – sie will Entlastung.

Kontrolle über ihre Liste von Besessenheiten und Zwänge. Vielleicht kann sie im Winter bei einem anderen Stück mitspielen, wenn sie mit dem Fußball und den Kartoffeln fertig ist. Vielleicht.

Marlena sieht aus der Abteilung der Neuntklässler zu ihr herüber und lächelt.

Mittags gehen alle nach draußen zum Essen oder zu den Toiletten. Diejenigen, die in der Nähe wohnen, gehen zum Essen sogar gelegentlich nach Hause. Nico und Kendall wohnen ein Stück zu weit weg, als dass sich das lohnen würde.

»Schon gelangweilt?« Kendall liegt auf dem Rücken neben Nico im Gras. Es ist ein wunderschöner Tag, nur ein paar Wolken und fast 25 Grad warm.

Nico zeigt keine Reaktion, und Kendall piekt ihn in die Rippen.

»Hmm?«

»Ich habe dich gefragt, ob du dich schon langweilst. In der Schule.«

Mit sichtbarer Anstrengung reißt sich Nico aus seinen Gedanken. »Oh, nein. Ich glaube, ich mag Physik.«

»Ich wünschte, wir hätten mehr Möglichkeiten. Du weißt schon. Töpfern. Theater.«

Nico rollt sich auf die Seite und sieht Kendall an. Berührt ihre Wange. »Ich auch. Für dich. Immer noch keine Post?«

»Nein.«

»Gut.« Nico lässt sich wieder zurückfallen. »Ich will nicht, dass du gehst.«

Lachend boxt Kendall ihn in die Schulter. »Hör auf! Du wirst die Juilliard noch verhexen!«

»Ich weiß. Tut mir leid. New York ist einfach so verdammt weit weg. Seit du geboren wurdest, war ich nie auch nur eine ganze Woche von dir getrennt.«

»Na, vielleicht solltest du dir überlegen, ob du nicht auch ein wenig weiter weggehst. Warum musst du denn hier in der Nähe bleiben?«

Nico zuckt zusammen. »Du hast recht.«

»Natürlich habe ich recht.« Sie setzt sich auf, schließt die Augen und seufzt. »Aber die Wahrheit ist, dass ich nicht an die Juilliard gehen werde, und das wissen wir beide. Am Samstag sehe ich mir mit dir zusammen die State an.«

Nico grinst. »Super.«

Zurück im Klassenzimmer ist Nico allerdings schon wieder abgelenkt. Mit halb geschlossenen Augen legt er den Kopf auf sein Pult.

Als Ms Hinkler gerade mit den Neuntklässlern beschäftigt ist, stößt Kendall ihn an. »Alles in Ordnung?«

Langsam wendet sich Nico zu Kendall, doch sein Blick ist abwesend.

»Alles bestens«, sagt er. Er sieht wieder nach vorne und lässt die Finger am Rand seines Tisches entlanggleiten.

»Du benimmst dich echt komisch.«

»Pssst« Nico schüttelt abwesend den Kopf und sagt nichts mehr. Stattdessen legt er seinen Kopf wieder auf das Pult und schließt die Augen.

Beim Fußballtraining nimmt der Trainer das Team hart ran. Sie müssen laufen und gegeneinander sprinten. Es ist anstrengend, aber Kendall genießt es. Es beschäftigt sie. Doch während sie läuft, muss sie an etwas denken, das Jacián gestern zu ihr gesagt hat. In Gedanken wiederholt sie den Satz, eine Silbe bei jedem Schritt.

Geh mir halt aus dem Weg, wenn du nichts abkriegen willst.

Hat er das auch zu Tiffany Quinn gesagt, bevor er sie umgebracht hat? Kendall schüttelt den Kopf und tadelt sich selbst in abgehacktem Flüstern, während sie hin- und hersprintet. Sie sieht ihn an. *Aufhören. Aufhören. Aufhören. Einfach weiterlaufen.*

Sie schlägt alle. Das ist noch nie passiert, aber Kendall ist heute in Höchstform. Jacián kommt als Zweiter ins Ziel. Eli wird Dritter, obwohl Marlena noch an seinem T-Shirt zieht, um ihn zu überholen. Nico ist nicht ganz bei der Sache und schafft nur den vorletzten Platz. Jacián geht keuchend an ihr vorbei.

Kendall grinst triumphierend, bevor sie vom halben Team zu Boden gerissen und darunter begraben wird. Sie ringt lachend nach Luft und versucht, ihr Gesicht vor den umherwirbelnden Beinen und Armen zu schützen. Kurz erhascht sie einen Blick auf Jacián, der den jubelnden Haufen aus sicherer Entfernung beobachtet. Seine Augen starren Kendall unverhohlen an. Sie windet und dreht sich und entdeckt Nico, der jedoch abwesend ins Leere blickt.

Kendall befreit sich aus dem Haufen, kurz bevor der Ruf des Trainers ertönt. Zurück zum Training.

* * *

Um 23:05 Uhr ruft Kendall bei Nico an.

»Was ist los mit dir?«

»Hm?«

»Du hast vergessen anzurufen. Das vergisst du doch sonst nie.«

»Oh. Äh … Ich habe wohl die Zeit vergessen. Ich muss über einiges nachdenken.«

»Willst du darüber reden? Bitte? Du machst mir langsam Sorgen.«

»Nein. Nein, danke. Ich muss weg.«

»Aaaha …«

»Gute Nacht, Kendall.«

Kendall nimmt das Telefon vom Ohr, starrt es kurz an und hält es sich wieder ans Ohr. »Machst du Witze?«

Doch sie hört nur ein Freizeichen. Ihr Magen verkrampft sich. Nico hat einfach aufgelegt.

»Verdammt, du Mistkerl! Diese College-Sache muss ja enorm wichtig für dich sein.«

Sie versucht, ihn noch mal anzurufen. Fünfmal.

Doch alles, was sie hört, ist ein Besetztzeichen.

Sie prüft sechsmal den Fensterriegel und sieht dabei über die Felder. Zu Nicos Haus.

Alles ist dunkel.

Kendall zittert.

Wir

Berühre Unser Gesicht, und du wirst Uns wieder
hören. Du wirst dich wundern. Du wirst Uns
Einlass gewähren in deinen Verstand. In deine
Gedanken. In deine Seele. Wir flüstern dir zu mit
einer einzigen, zarten Stimme ... der Stimme,
die du hören willst. Du kennst diese Stimme.
Du vermisst sie.

Du willst sie retten.

6

Die erste Schulwoche ist fast vorüber. Die unfassbare Abwesenheit von Tiffany Quinn ist fast vergessen, ersetzt durch neue Aufgaben, neue Schüler und das Bedürfnis nach einem normalen Leben. Kendall führt ihre morgendlichen Routineaufgaben durch – Papierkorb, Kreide, Fenster, Tische –, und alles ist gut. Fast alles.

Jacián spricht immer noch nicht im Unterricht, es sei denn, Ms Hinkler stellt ihm eine Frage.

Und Nico verliert sich immer mehr in seiner eigenen Welt und scheint Kendall kaum noch wahrzunehmen.

Er will nicht darüber sprechen.

Ihre Gedanken spielen verrückt.

»Nico.« Es ist Mittag, und sie sitzen draußen im Gras. »Liegt es an mir? Habe ich irgendetwas falsch gemacht?«

Er starrt in den Himmel. Seine Lippen bewegen sich, doch es kommt kein Laut aus seinem Mund.

»Nico?«

Er dreht sich zu ihr. »Was?«

Kendall beißt sich auf die Lippe, und Tränen treten ihr in die Augen.

»Was ist los mit dir? Am Montag warst du noch ganz normal, und jetzt bist du auf einmal total komisch.«

Er schüttelt nur den Kopf. »Es ist nichts.«

»Fahren wir morgen immer noch nach Bozeman?«

»Bozeman ... Oh ja. Ja, natürlich.«

»Bist du vielleicht böse auf mich?«

Er sieht sie einen Augenblick lang an, als versuche er, ihre Frage zu verstehen, und nimmt dann ihre Hand.

»Nein, Baby. Ich liebe dich. Wie immer.« Er sieht ihr in die Augen und zieht ihre Hand an seine Lippen. Doch sein Blick ist leer. Er küsst ihre Fingerknöchel, lässt ihre Hand fallen, steht auf und geht wieder in die Schule.

★★★

Freitags ist kein Fußballtraining – nicht bevor die Spielsaison beginnt. Nach der Schule geht Nico ohne Kendall nach Hause. Ungläubig starrt sie ihm nach, dann dreht sie sich um und geht die Straße entlang in die Stadt.

Die »Innenstadt« von Cryer's Cross besteht aus einer Kreuzung mit einer Handvoll Läden, einem Restaurant und einer großen Markthalle, die das ganze Jahr über alle Veranstaltungen beherbergt, für die man viel Platz benötigt. Kendall steigt die Treppe zur Drogerie hinauf. Sie braucht dringend Tampons.

Auf der Veranda vor dem Gebäude sitzen auf ausgebleichten Holzstühlen der alte Mr Greenwood und Hector Morales. Kendall lächelt und winkt. Bei gutem Wetter sitzen die beiden Männer am frühen Abend oft zusammen, obwohl sie sich nie unterhalten. Der alte Mr Greenwood schaut grimmig, doch Hector strahlt, als er Kendall sieht.

»Kendall!«, begrüßt er sie. »Komm doch mal her, bitte!«

Kendall geht zu ihnen.

»Ja, Sir?«

»Du bist Marlena in der Schule eine gute Freundin. Vielen Dank dafür.«

Kendall lächelt. Hector ist so ein feinfühliger Mensch, einfach nett. Sie fragt sich, wie ein Kind von ihm jemanden wie Jacián hervorbringen konnte. »Marlena ist super. Und sie spielt richtig gut Fußball.«

»Und Jacián ist unser Fußballchampion«, erklärt Hector stolz und kichert.

»Ja«, bestätigt Kendall und versucht, begeistert zu klingen. »Ja, er hat wirklich Talent.«

»Er braucht auch Freunde«, sagt Hector ein wenig sanfter, aber irgendwie bestimmt. »Jeder braucht Freunde.« Er wirft Mr Greenwood einen Blick zu, woraufhin dieser unbehaglich auf seinem Stuhl herumrutscht. »Du bist ein gutes Mädchen. Gib ihm eine Chance, ja?«

»Okay«, antwortet Kendall. Was soll sie auch sonst sagen? »Ich versuche es.« Und bevor sie es verhindern kann, fügt sie hinzu: »Aber er sollte den anderen auch eine Chance geben.«

Hector sieht Kendall nachdenklich an und legt dabei den Finger an die Lippen.

»Da stimme ich dir zu, Kendall. Für einen so jungen Menschen bist du sehr klug. Ich danke dir.«

Kendall muss unwillkürlich lächeln. Sie nimmt seine Hand und drückt sie. »Schön, Sie zu sehen.«

Sie geht in den Laden und streift durch die Regale, um sich die Auslage anzusehen. Dabei denkt sie an Nico und fragt sich, was mit ihm los ist.

Schließlich bezahlt sie und macht sich auf den Heimweg. Alle dreißig Schritte sieht sie sich um. Wenn sie alleine läuft, muss sie immer an Tiffany Quinn denken.

Kendall erledigt ihre Arbeit und die Hausaufgaben und denkt deprimiert an Nico. Aber sie ist froh, auf dem Weg nach Bozeman am nächsten Tag die Chance zu haben, mit ihm darüber zu reden. Ihre Eltern sagen Gute Nacht und gehen zu Bett. Um halb elf, während sie sich Musikvideos anschaut, schläft Kendall auf dem Sofa ein.

Wir

Du legst deine Wange an die Unsere und flüsterst:
»Wer seid ihr?« Wir spüren dein Herz, deinen
schnellen Atem. Dein pulsierendes Blut. Ja, Wir
hören dich. Und Wir wissen, was zu tun ist.
Beruhigen. Anlocken. Verführen. Fangen, oh ja.
Wir fangen dich ein. Wir hatten dich schon bei
der ersten Berührung.

Komm zurück heute Nacht!
Rette mich!
Sag nichts!

7

Kendall wacht auf, als es an der Tür läutet. Einmal, zweimal. Die Sonne strahlt durch die Wohnzimmervorhänge herein – sie hat die ganze Nacht auf der Couch geschlafen. *Mist*, denkt sie. *Verschlafen. Heute Bozeman.*

Im Schlafanzug geht sie an die Tür.

Es ist nicht Nico.

Es ist Jacián. Mit einem Paket Fleisch.

»Lieferung«, erklärt er. Er trägt eine dunkle Sonnenbrille, sodass Kendall seine Augen nicht sehen kann. Ängstlich wie eine Fünftklässlerin spielt sie mit den Knöpfen an ihrem Pyjama.

»Oh.« Sie tritt beiseite, als er die Kiste hereinbringt. Sie überlegt kurz, ob sie Mundgeruch hat. Bei jedem anderen an der Tür würde ihr das wahrscheinlich etwas ausmachen.

»Kühltruhe?« Er verlagert das Gewicht von einem Fuß auf den anderen.

»Unten … hier entlang.« Kendall fährt sich mit den Fingern durch die wirren Haare und führt ihn die Kellertreppe hinunter. Hier unten ist es kühl, und es riecht nach Erde und Regen. Sie öffnet die Tür vom Gefrierschrank und rückt die Maisdosen zurecht, die sie im letzten Monat gemeinsam mit ihrer Mutter zubereitet und eingefroren hat. Sie stellt sie in ordentlich aufgestapelte Reihen.

»Das ist schwer«, bemerkt Jacián.

Kendall hält inne.

»Oh … Stell es einfach ab. Ich mach das schon.«

Er stellt die Kiste ab und läuft, zwei Stufen auf einmal nehmend, die Treppe hinauf.

»Da ist noch eine Kiste«, ruft er ihr noch zu.

»Hoffentlich«, antwortet Kendall. »Das wäre sonst eine ziemlich kleine Kuh. Eine von diesen Zwerg-Kühen.«

Niemand hört sie.

Kurze Zeit später ist Jacián zurück. Er schiebt sich die Sonnenbrille auf den Kopf und beginnt, die Kisten auszupacken. Kendall stellt sich vor den Gefrierschrank, um ihn am Einräumen zu hindern.

»Schon gut, wirklich, ich schaffe das alleine.«

»Mein Großvater hat gesagt, ich soll das machen«, antwortet er. »Das gehört zum Service von Hectors Ranch.«

Kendall hört die Ironie in seiner Stimme und muss an ihr Gespräch mit Hector denken.

»Das ist wirklich nicht nötig.« Kendall fühlt sich für die Ordnung verantwortlich und will, dass es richtig gemacht wird.

»Du machst das sowieso falsch. Leg alle Steaks zusammen, alle Hamburger, alle Braten. Nicht nach Größe und Form, sondern nach Kategorie, sonst weiß man nie, wie viel von einer Sorte noch übrig ist.«

Kendall hält inne, richtet sich kerzengerade auf und funkelt ihn an, eine Hand in die Hüfte gestemmt und in der anderen ein Kilo tiefgefrorenes Hamburgerfleisch.

»Versuchs mit deiner seltsamen Männerlogik doch bitte im nächsten Haushalt. Auf Wiedersehen.«

Er starrt zurück und bleibt stehen. Sein Kiefer bewegt sich, als wolle er etwas sagen.

Kendall muss an Tiffany Quinn denken. Sie wirft einen Blick in die Gefriertruhe und stellt sich vor, sie sei voller zerhackter, entführter Mädchen. Sie blickt wieder zu Jacián, dessen schwarze Augen wütend funkeln. Eine Welle irrationaler Angst schießt ihr durch die Brust, doch sie versucht, sie nicht zu zeigen. Sie ist allein mit einem Entführer im Keller, und sonst ist niemand zu Hause.

»Geh. Bitte.«

Jaciáns Augen verengen sich, doch dann entspannt er sich.

»Wie du willst.«

Er macht auf dem Absatz kehrt und geht die Treppe hinauf. Kendall hört seine Schritte und das Klicken der Haustür.

Nervös blickt sie sich um, während sie das Fleisch in die Truhe räumt. Nach Form und Größe sortiert. Nur so will sie es haben.

Sie springt schnell unter die Dusche und macht sich fertig. Sie wartet. Kurz vor Mittag ist Nico noch immer nicht aufgetaucht. Kendall ruft ihn zu Hause an, doch sein Anschluss ist besetzt. Sie legt auf und wählt stattdessen die Nummer seiner Eltern. Mrs Cruz nimmt ab.

»Hi Mrs Cruz. Ist Nico da?«

»Kendall! Nein, ich habe ihn heute Morgen noch nicht gesehen. Soll ich ihm etwas ausrichten?«

»Hm.« Kendall überlegt. »Wir wollten heute eigentlich nach Bozeman. Vielleicht können Sie ihn wecken?«

»Mach ich. Er ruft gleich zurück!«

»Danke.«

»Bis dann, Liebes.«

»Bis dann, Mrs Cruz.«

Kendall legt auf und schaltet den Fernseher ein. Der Nachrichtensprecher berichtet schon wieder von einer sechzehnjährigen Serienmörderin in Brasilien – das Mädchen hat zwölf Menschen getötet. Wow. Das muss sie Nico erzählen. Dagegen wirkt Jacián der Teenager-Entführer ja richtig harmlos.

Nach zwanzig Minuten wird Kendall ein wenig unruhig, weil Nico sich immer noch nicht gemeldet hat. Gerade, als sie wieder zum Telefon greift, klingelt es.

Es ist Nicos Mutter.

»Kendall«, sagt sie nervös. »Nico ist nicht zu Hause. Sein Bett ist gemacht, aber er hat keine Nachricht hinterlassen.«

Kendalls Magen macht einen Sprung, und sie braucht einen Moment, um wieder klar denken zu können. »Ist sein Auto weg?«

»Ja.«

»Okay. Das ist doch gut, oder? Wahrscheinlich ist er irgendwo draußen.« Kendalls Zunge ist wie betäubt. Sie schluckt schwer. Atmet.

»Ja, wahrscheinlich.« Mrs Cruz lacht nervös.

»Vielleicht ist er ohne mich nach Bozeman gefahren«, flüstert Kendall.

8

Sie finden den Wagen. Er ist nicht in Bozeman. Er steht vor der Schule.

Nico ist nicht da.

Nach einer kurzen und erfolglosen Suche in der Stadt und auf dem Schulgelände rufen Nicos Eltern alle möglichen Leute an, um zu fragen, ob sie ihn gesehen haben. Es gibt keine Spur von Nico Cruz.

Der Motor von Nicos Wagen ist kalt, und Sheriff Greenwood kann keinerlei Anhaltspunkte finden. Nicht im Wagen, und auch nicht in der Schule. Dennoch sperrt die Polizei vorsichtshalber alles mit Flatterband ab. Nach dem, was mit Tiffany Quinn passiert ist, kann man bei einem vermissten Jugendlichen nicht vorsichtig genug sein. Alle sind nervös.

Als Kendall die Nachricht von dem gefundenen Auto erreicht, rennt sie die Meile von zu Hause bis zur Schule. Das Auto wirkt verloren trotz der Menschenmenge, die sich bereits eingefunden hat. Sie keucht, sinkt auf die Knie und ringt nach Atem. Die Leute drängen sich an ihr vorbei, um das Auto zu sehen und die Schule ... als ob es dort etwas zu sehen gäbe. Aber da ist nichts. Nur ein Auto. Ein Gebäude. Gelbes Flatterband.

»Wahrscheinlich geht es ihm gut«, sagt jemand. »Vielleicht übertreiben wir alle. Er ist ja fast ein erwachsener Mann. Vielleicht ist er nur wandern gegangen.«

»Vielleicht ist er in den Wald gegangen zum Jagen.«

»Vielleicht hatte er kein Benzin mehr und hat den Wagen deshalb hier abgestellt.«

»Ja, man sollte keine voreiligen Schlüsse ziehen.«

Aber da ist auch anderes Geflüster, das immer lauter wird.

»Noch einer. Was passiert in unserer behüteten kleinen Stadt? Alle Kinder verschwinden.«

Kendall versucht vergeblich, das Flüstern auszublenden. Sie schafft es gerade, zu atmen. Und zu zählen.

Sie zählt Atemzüge. Sechsunddreißig. Steine in der Erde. Über fünfzig. Leute zählen, die dumme Dinge sagen: Das tun alle.

Die Tage zählen, die sie ihn schon kennt: unendlich viele.

Vielleicht kommt er zurück, bevor sie mit dem Zählen fertig ist.

Vielleicht aber auch nicht.

Das Gemurmel der Leute wird immer lauter, sodass Kendall nicht nachdenken kann. Bei so viel Ablenkung kann sie nicht zählen. Sie steht auf, drängt sich durch die Menge und schreit: »Aufhören! Aufhören! Aufhören! Hört doch alle einfach auf!« Ihr Blick ist tränenverschwommen.

Jemand packt sie am Arm, doch sie reißt sich nur blind los und rennt, rennt wie der Teufel. Rennt fast den ganzen Weg bis nach Hause, bis ihre Füße nicht mehr weiterwollen. Sie stolpert, stürzt und schürft sich Hände und Knie auf dem rauen Asphalt auf. Sie bleibt einfach liegen und spürt einen riesigen Schwall von Schmerzen, der durch ihren Körper fährt. Sie ist so dankbar für den Schmerz, weil er ihr hilft, etwas zu fühlen. Er befreit etwas in ihr. Sie schluchzt. Hier draußen im Schotter neben der Straße vor Nicos Farm schluchzt sie. Unter dem alten Briefkasten, in den sie immer Nachrichten für ihn gesteckt hat, während die Grashüpfer und Bienen hektisch um sie herumfliegen und summen.

Kurz darauf hört sie Schritte. Als sie neben ihr anhalten, hebt sie den Kopf und sieht blinzelnd in die Sonne. Wieder beginnt ihre Unterlippe zu zittern.

»Mum.«

»Ich kann nicht so schnell laufen wie du«, erwidert ihre Mutter. »Aber zumindest bist du in die richtige Richtung gerannt.«

Langsam steht Kendall auf. Sie versucht sich die Steinchen von den Händen und Knien zu reiben, erfolglos. Wieder weint sie und gibt auf dagegen anzukämpfen, als Mrs Fletcher sie schließlich in die Arme nimmt.

»Komm mit hinein«, fordert ihre Mum sie sanft auf. »Dann machen wir dich sauber. Sheriff Greenwood kommt in ein paar Minuten. Er möchte mit dir reden.«

Kendall horcht auf. »Warum?«

»Er will nur wissen, wer zuletzt mit Nico gesprochen hat. Niemand hat gesagt, dass du irgendetwas getan hast. Sie gehen davon aus, dass er gestern Abend spät aus dem Haus gegangen ist.«

»Warum sollte er das tun?« Kendall humpelt die lange Auffahrt zu ihrem Haus entlang. »Ich glaube, mir platzt gleich der Kopf. Meine Zwänge spielen verrückt.«

»Ich weiß, Liebling. Es ist schwer. Aber wir dürfen die Hoffnung nicht aufgeben, nicht wahr? Er ist ein starker

Junge. Er kann auf sich aufpassen. Wir müssen nur herausfinden, was passiert ist. Und wo er ist.«

Kendall nickt. Im Haus angekommen, macht sie sich daran, ihre Wunden zu säubern. Mrs Fletcher schaltet die Nachrichten ein, aber es gibt noch nichts über Nico. Es dauert halt eine Weile, bis sich so etwas von hier draußen bis in die zivilisierte Welt verbreitet.

Kurze Zeit später trifft Sheriff Greenwood ein und nimmt seinen Cowboyhut ab. Er ist nicht alleine gekommen, doch seinen Begleiter hat Kendall nie zuvor gesehen.

»Guten Tag, Mrs Fletcher, Kendall. Das ist Sergeant Dunne von der Montana State Police. Er soll uns helfen, Nico zu finden.«

»Bitte setzen Sie sich.« Mrs Fletcher deutet zum Esstisch. Sie holt aus der Küche Tassen, Untertassen und die Kaffeekanne und schenkt ein, als kämen die beiden Polizisten täglich zum Kaffeetrinken.

Nachdem alle am Esstisch Platz genommen haben, holt Sheriff Greenwood sein Notizbuch heraus.

»Lasst uns aus Zeitgründen möglichst gleich zur Sache kommen, ja?« Ohne aufzusehen, fährt er fort: »Nun, Kendall, kannst du deine Beziehung zu Nico Cruz beschreiben?«

Kendall ist plötzlich verwirrt.

»Wie meinen Sie das? Wir sind Nachbarn, beste Freunde seit unserer Kindheit. Das wissen Sie doch.«

Sergeant Dunne neigt sich vor und fragt: »Geht ihr miteinander?«

»Ja, ich denke schon. Ich meine, wir gehen nicht so viel zusammen aus, aber ja … irgendwie schon.«

Sergeant Dunne nickt. »Er ist also dein fester Freund?«, hakt er nach.

»Nein. Ich meine …« Kendall sieht hilfesuchend zu ihrer Mutter.

»Diesen Ausdruck verwendet Kendall nicht so gerne, weil sie das Gefühl hat, es klinge zu sehr nach Verpflichtung, aber ja, so wie die Sache hier liegt, kann man sagen, dass Nico Kendalls fester Freund ist.« Mrs Fletcher hält Kendalls Hand und drückt sie. Sie wirft ihrer Tochter einen Blick zu. »Okay?«

Kendall nickt zustimmend. Sie kann es nur nicht selbst sagen.

»Okay«, sagt Sheriff Greenwood. »Wann hast du Nico zuletzt gesehen?«

»Gestern in der Schule. Ich musste nach der Schule in die Stadt, um etwas einzukaufen. Er ist nach Hause gegangen.«

»Was einzukaufen?«

Kendall wird dunkelrot. »Tampons. Nicht, dass Sie das etwas angehen würde.«

»Kendall«, mahnt Mrs Fletcher, »sie versuchen doch nur, sich Klarheit zu verschaffen.«

»Tut mir leid, Miss«, entschuldigt sich Sergeant Dunne. »Um wie viel Uhr war das?«

»Drei Uhr fünfunddreißig, glaube ich.«

»Danach hast du ihn nicht mehr gesehen?«

»Nein.«

»Hast du gestern Abend noch mit ihm gesprochen? Am Telefon? Über E-Mail?«

»Meistens ruft er mich gegen elf Uhr an.«

»Hat er gestern auch angerufen?«

Kendall zögert und versucht, sich zu erinnern. »Ehrlich gesagt weiß ich es nicht. Ich bin hier unten vor dem Fernseher eingeschlafen.«

»Ich habe dein Telefon nicht läuten gehört«, wirft

Mrs Fletcher ein. Sie wendet sich an die Männer. »Kendall hat ihren eigenen Telefonanschluss in ihrem Zimmer. Hier unten hat es nicht geklingelt, aber mein Mann und ich haben um zehn Uhr geschlafen.«

»Sie gehen freitagabends aber früh ins Bett«, bemerkt der Sergeant.

Mrs Fletcher sieht ihn scharf an. »Wir leben auf einer Farm. Unser Tag beginnt um fünf Uhr morgens, Sir. Und wir haben kein Wochenende.«

Sergeant Dunne nickt. »Ja, Ma'am.« Dann wendet er sich wieder an Kendall. »Du glaubst also nicht, dass er angerufen hat?«

»Ich *weiß nicht*, ob er angerufen hat. Ich kann mein Telefon hier unten nicht hören.«

Dunne sieht Greenwood an. »Ich lasse die Anschlüsse überprüfen. Bitte schreib mir deine Telefonnummer hier auf. Und Nicos bitte auch.«

»Haben Sie Nicos Nummer nicht schon von Mr und Mrs Cruz bekommen?«, will Mrs Fletcher wissen.

»Ma'am, es könnte mehrere Nummern geben. Teenager verheimlichen ihren Eltern ständig etwas. Nicht wahr, Kendall?« Er sieht sie an.

Stirnrunzelnd erwidert sie seinen Blick. »Ich nicht.«

»In Ordnung, Kendall«, wirft Sheriff Greenwood ein. »Wie war Nico in letzter Zeit? So wie immer oder irgendwie anders. Ist dir irgendetwas Ungewöhnliches aufgefallen?«

Kendall schluckt schwer. Sie mag Sergeant Dunne nicht. Sie will nichts sagen, was Nico in ein schlechtes Licht rücken könnte. Aber sie weiß, dass sie die Wahrheit sagen muss.

»In den letzten Tagen war er mit seinen Gedanken ständig woanders.« Sie spürt, wie ihre Stimme beginnt zu zittern, doch sie behält die Kontrolle. »Wir wollten heute nach Bozeman fahren und uns die Montana State ansehen. Er will Krankenpfleger werden. Ich glaube, das hat ihn beschäftigt.«

Sheriff Greenwood schreibt etwas auf. »Könnte ihn sonst noch etwas abgelenkt haben? Irgendetwas?«

Kendall überlegt. Dann schüttelt sie den Kopf. »Mir fällt nichts ein.«

»Hattet ihr beiden Beziehungsprobleme?«

»Nein. Ich meine, ich habe ihn gefragt, ob er meinetwegen so komisch sei, aber er hat Nein gesagt, er liebe mich wie immer.« Kendall unterdrückt ein Schluchzen, das aus ihrer Brust aufsteigt. Mrs Fletcher legt den Arm um ihre Tochter. Auch sie weint jetzt. Wieder beginnen die bösen Gedanken in Kendalls Kopf herumzuspuken. Gedanken, die sie nicht kontrollieren kann. Könnte Jacián auch Nico etwas angetan haben?

Sheriff Greenwood notiert sich noch ein paar Dinge, dann klappt er sein Notizbuch zu.

»Gut, das war's fürs Erste.«

Kendall sieht auf. »Werden Sie auch Jacián Obregon befragen?«

Mrs Fletcher schaut Kendall überrascht an.

Sheriff Greenwood schüttelt entschieden den Kopf, und als hätte er es bereits zehnmal erklärt, sagt er gereizt: »Jacián Obregon ist weder in diesem Fall noch in dem von Tiffany Quinn ein Verdächtiger. Hast du irgendeinen Grund zu glauben, dass er es sein sollte? Einen richtigen Grund meine ich, nicht nur Gerüchte?«

Kendall macht den Mund auf, klappt ihn aber wieder zu. »Nein, Sir.«

»Gut. Dann halten wir ihn aus der Sache raus. Er hat genug durchgemacht.«

Kendall starrt den Sheriff einen Moment lang an. »Es tut mir leid.«

Er nickt und lächelt mitfühlend, und plötzlich ist er wieder Elis Vater. »Ist ja nichts passiert.« Er steht auf, und Sergeant Dunne folgt seinem Beispiel. »Wir werden alles tun, um Nico zu finden.«

»Wird es wieder so eine große Suchaktion geben wie bei Tiffany?« Es macht Kendall Angst, dass die Suche ebenso ergebnislos verlaufen könnte wie das letzte Mal. Nein. So etwas darf sie nicht denken.

»Sie wird bereits geplant, und die ersten Einsatzteams sind schon draußen, für alle Fälle. Wahrscheinlich bekommt ihr heute Abend einen Anruf mit genauen Instruktionen, damit wir direkt morgen früh mit einer organisierten Suche starten können. Hoffentlich stellt sich heraus, dass er nur in den Bergen wandert oder so und die Aktion gar nicht nötig ist.«

»Danke«, sagt Kendall. Mrs Fletcher begleitet die Polizisten zur Tür. Kendall lässt den Kopf auf den Tisch sinken. Sie fühlt sich benommen. Sie weiß, dass er nicht wandern ist. Das würde er niemals alleine tun. Nicht ohne sie.

In diesem Augenblick steckt Sergeant Dunne noch einmal den Kopf herein.

»Noch eine Frage, Kendall, wie war das Verhältnis von Nico zu Tiffany Quinn? Haben sie sich gekannt?«

Kendall hebt den Kopf und sieht ihn an. Sie runzelt die Stirn. »Natürlich. Haben Sie bemerkt, wie klein die Stadt ist? Hier kennt jeder jeden.«

Er lächelt entwaffnend. »Haben sie je etwas zusammen unternommen? Du weißt schon … vielleicht lief etwas zwischen ihnen?« Er denkt kurz nach. »Es ist schon ein sehr merkwürdiger Zufall, zwei Teenager aus einer so kleinen Stadt …«

Kendall setzt sich langsam auf. »Nein. Nein, da lief *nichts* zwischen ihnen. Sie war nur ein kleines Mädchen.«

»Als sie verschwunden ist, war sie fünfzehn. Und Nico ist siebzehn.« Er hält inne, als ob das etwas erklären würde. »Hast du dich zu dieser Zeit mit Nico getroffen?«

Kendall beißt die Zähne zusammen. »Ja, irgendwie schon.«

»Hat er dich jemals zu irgendwelchen geheimen Orten mitgenommen? Verstecke in den Bergen oder im Wald? Vielleicht, um alleine zu sein oder um Sex zu haben?«

»Nein!«, wehrt sie aufgebracht ab. »So ernsthaft ist das nicht. Wir sind nicht … sexuell aktiv.«

»Oh ja, du sagtest ja, du wolltest keine Verpflichtungen in eurer Beziehung. Das heißt, es stand euch frei, euch auch mit anderen zu treffen?«

Kendall schüttelt den Kopf und versucht zu verstehen, was er eigentlich sagt. Sie hat das Gefühl, als befände sie sich in einer Episode von *Law & Order – Special Victim's Unit*. »Er hat sich nicht mit ihr getroffen. Das weiß ich. Okay?«

Sergeant Dunne schweigt einen Moment und sieht sie nur an. Dann sagt er leise: »Nun, vielleicht tut er es jetzt.«

Mrs Fletcher erhebt sich schnell, als Kendall aufspringt und dabei ihren Stuhl umstößt. Er kratzt laut über die Holzdielen. Ihre Hände zittern. »Was wollen Sie denn damit sagen?«

»Wir müssen nur alle Eventualitäten bedenken und alle Szenarien durchspielen.« Seine klischeegeladenen Erklärungen machen Kendall noch wütender.

»Warum sollte er ihr etwas antun? Wenn sie zusammen sein wollten, hätte sie doch niemand daran gehindert?«

Sergeant Dunne legt den Kopf schief. »Vielleicht war er etwas genervt von deiner Nicht-Verpflichtung und hat etwas getan, wofür er sich schämte. Ich weiß es nicht. Sag du es mir.«

»Nun, Sie irren sich.« Kendalls Stimme versagt.

Mrs Fletcher tritt einen Schritt vor und stellt sich schützend vor ihre Tochter. »Sergeant, ist sonst noch etwas?«

Sergeant Dunne lässt Kendall nicht aus den Augen, obwohl sein Blick etwas sanfter wird. Einen Augenblick lang rührt er sich nicht, doch dann anwortet er: »Nein, Ma'am, das ist alles für heute.« Er nickt und geht wieder hinaus. »Sag uns Bescheid, falls dir noch etwas einfällt, was uns bei der Suche nach deinem Freund helfen könnte.«

Kendall flieht aus der Küche und rennt die Treppe hinauf in ihr Zimmer.

Dort bricht sie zusammen. Schluchzt. Hilflos. Sie kann damit nicht umgehen. Ihr Kopf kann damit nicht umgehen.

Sie kann es nur versuchen. Versuchen, aufzuhören, sich Nico und Tiffany in einem Versteck in den Bergen beim Sex vorzustellen.

Wir

Keuchend atmen Wir gemeinsam in der Tiefe einer finsteren Nacht. Du hast deinen Weg gefunden, dein neues Heim in der Erde. Dein Opfer ist angenommen worden. Eine weitere gefangene Seele befreit.

Unsere restlichen Seelen flehen, sie dürsten nach Blut. Dürsten nach Seelen. Zusammen, gefangen in Holz und Metall, warten Wir wieder und ritzen etwas Neues.

Berühre mich.

9

Am nächsten Morgen haben die Landesnachrichten das
Thema aufgegriffen. Diese Kleinstadt-Teenager-Ausrei-
ßer-Geschichte ist nicht länger nur ein winziger Punkt
im Sendegebiet von Bozeman-TV. Innerhalb von vierundzwanzig Stunden wird es die unglückliche ameri-
kanische Horrorsensation der Woche. Nicos Gesicht ist
überall im Fernsehen zu sehen, und Tiffany Quinns Geschichte wird wieder ausgegraben und ebenfalls gesendet.
Es dauert nicht lange, bis die Reporter versuchen, eine
Verbindung zwischen den beiden Fällen herzustellen, genauso wie Sergeant Dunne gestern bei Kendall. Hat Nico
»Tiffany verschwinden lassen« und ist jetzt selbst unterge-
taucht? Wo könnten sie sein? Hat Nico Cruz eine dunkle
Seite?

Oh, natürlich, das sind alles nur Spekulationen, das geben die Reporter zu.

Aber man sieht ihnen an, dass sie es glauben.

Mr Fletcher schaltet den Fernseher aus. Kendall starrt den
schwarzen Bildschirm an. Ihre Haare sind zerzaust, die
Augen rot.

»Kendall«, sagt er und legt ihr die Hand auf den Arm.

Sie rührt sich nicht.

»Liebes.«

Sie schüttelt nur den Kopf und flüstert mit vom Weinen heiserer Stimme: »Ich kann nicht fassen, dass das alles gerade passiert.«

Ihr Vater steht auf und zieht sie hoch. Er nimmt sie in den Arm und flüstert: »Komm, Kleines.«

Kendall nickt und legt die Wange an seine Schulter. Als sie sich von ihm löst, sieht sie seine glänzenden Augen.

Er schaut weg. »Lass uns ihn suchen.«

★ ★ ★

Sie haben Hubschrauber. Nachrichtenteams kommen und schlagen ihr Lager vor der Futter- und Samenhandlung und in der Markthalle auf. Es ist mehr Polizei unterwegs, als Kendall je zuvor gesehen hat. Viele Leute fahren oder laufen in die Stadt, aber manche kommen auch mit Quads, um schneller abseits der Straßen suchen zu können. Marlena und Jacián sind auch dabei. Kendalls Augen werden schmal.

Sheriff Greenwood steht mit einem Megafon auf der Treppe zum Restaurant, hält es hoch und testet es, um die Aufmerksamkeit auf sich zu lenken.

Kendall sieht sich um. Es ist gerade erst Tagesanbruch an einem Sonntagmorgen, und alle sind da, so wie beim letzten Mal. Außer Nico.

Die anwesenden Schüler beobachten Kendall verstohlen und mitfühlend, unsicher, ob sie auf sie zugehen sollen. Die meisten tun es nicht. Kendall geht mit ihrem Vater und ihrer Mutter zu Nicos Eltern. Schweigend stehen sie zusammen, während sich die Mütter umarmen. Es gibt nicht viel zu sagen. Der Schlafmangel ist allen anzusehen, und das sagt alles. Kendall sieht Tiffany Quinns Mutter in der Menge stehen. Sie sieht alt aus, als wäre sie seit Mai zehn Jahre älter geworden. Kendall wirft einen Blick auf Nicos Eltern und fragt sich, was mit ihnen geschehen wird.

Sheriff Greenwood spricht durch sein Megafon, und die Menge wird ruhig.

Alles fühlt sich schrecklich bekannt an, doch für Kendall ist es heute tausendmal schlimmer.

»Vielen Dank, dass ihr gekommen seid«, erklingt Sheriff Greenwoods Stimme. Er räuspert sich, während die Menge still wird, dann hebt er das Megafon wieder an die Lippen. »Es scheint unglaublich, dass wir das noch einmal tun müssen. Und doch sind wir hier.«

Er hält einen Moment lang inne, sieht auf ein weißes Blatt Papier, das im Wind in seiner Hand flattert. »Um euch auf den neuesten Stand zu bringen: Wir haben Nico Cruz gestern Abend gegen sieben Uhr als vermisst erklärt. Seitdem haben wir mit ein paar Leuten gesprochen, und ausgebildete Beamte haben während der Nacht bereits gesucht. Bislang haben wir keine Spur von ihm gefunden.

Nachdem ich mich mit den anderen Polizeikräften, die zur Unterstützung gekommen sind, beraten habe, habe ich entschieden, dass wir unsere Suche in etwa so wie das letzte Mal durchführen werden. Diesmal jedoch müssen die Gruppen mindestens aus drei Leuten bestehen, und bis auf Weiteres darf niemand unter achtzehn allein irgendwohin gehen. Weder zu Fuß noch mit dem Auto, noch zu Pferd. Und das gilt nicht nur für die Suche – das ist eine neue Ausgangssperre für Cryer's Cross.«

In der Menge wird Gemurmel laut, nicht nur aus Überraschung, sondern auch aus Angst.

»Lasst mich das näher erläutern: Kein Kind oder Teenager von siebzehn oder weniger Jahren darf bis auf Weiteres allein im Bezirk von Cryer's Cross herumlaufen. Kinder unter dreizehn müssen von jemandem über achtzehn begleitet werden. Teenager, die vierzehn oder älter sind, können in Partnerteams unterwegs sein. Die Schulpartner werden euch der Einfachheit halber nach eurem Wohnort zugewiesen.« Er macht eine kurze Pause. »Wer sich nicht daran hält, wird verhaftet.«

Verhaftet? Kendall starrt den Sheriff an. *Schulpartner?* Der einzige Teenager in ihrer Gegend war Nico.

Wieder wird Gemurmel laut.

»Ruhe, bitte!«, mahnt der Sheriff. »Das ist sehr wichtig. Wir wollen nicht noch einen von euch verlieren. Und bitte glaubt mir, auch wenn ich die meisten von euch Teenagern seit dem Babyalter kenne, werde ich nicht zögern, euch zu verhaften, wenn ich sehe, dass ihr alleine unterwegs seid. Wir wissen nicht, mit was wir es zu tun haben, und dürfen nicht nachlässig sein, sondern müssen mit der entsprechenden Vorsicht an die Sache herangehen.«

Er macht eine Pause.

»Lasst uns mit der Suche beginnen. Bitte findet euch in den gleichen Gruppen zusammen wie im Frühling und wartet auf Instruktionen. Wenn ihr eine Gruppe braucht, sagt mir Bescheid. Bleibt zusammen und kommt zusammen zurück. Leute, wenn ihr heute zurückkommt, kommt ihr zu mir, dann habe ich die Partnerliste fertig.«

Kendall sieht Mrs Cruz an, die sich an ihrem Mann festhält. Es hört sich an, als erwarte der Sheriff nicht, dass sie Nico heute finden, so wie er diese Partnersache plant. Es ist schrecklich.

Der Sheriff lässt das Megafon sinken und setzt ein entschlossenes Gesicht auf. Dann nickt er, und die Leute versammeln sich in Gruppen am Straßenrand.

Kendall bleibt auf Bitten ihrer Mutter dicht bei ihren Eltern. Das ist irgendwie beruhigend, da Kendall keine

Gruppe mehr hat. Das letzte Mal hat sie mit Nico zusammen gesucht.

Die Stimmung ist gedämpft und viel zu vertraut, als die Gruppen ihre Anweisungen erhalten und sich wieder aufmachen, auch die hintersten Winkel des Tals zu durchsuchen. Letztes Mal war gerade alles frisch gepflanzt. Diesmal sind die Kartoffelfelder saftig und grün, reif für die Ernte, und die Blätter an den Bäumen beginnen gerade ihre Farbe zu verändern. Kendall fragt sich, wie viele Tage ihre Eltern wohl suchen können, wenn doch im Augenblick so viel auf der Farm zu tun ist. Aber sie ist zu müde, um zu fragen. Sie kann nur resigniert Schritte zählen und Reihen und Bäume und in ihrem Kopf irre Sätze wiederholen, während sie die Gemüse- und Getreidefelder absucht und sich dann den Weiden und Wäldern widmet. Auf der Suche nach der Leiche ihres Freundes. Hin- und hergerissen zwischen der Hoffnung, ihn zu finden, und der, ihn nicht zu finden.

Sie findet ihn nicht. Und auch kein anderer.

Als sie in die Stadt zurückkehren, spricht Sheriff Greenwood gerade mit Hector, Jacián, Marlena und offenbar mit ihren Eltern.

Kendall bleibt stehen. Sie will Jacián im Moment nicht sehen. Sie weiß immer noch nicht, was sie von ihm halten soll. Auf jeden Fall will sie nicht, dass er etwas über Nico zu ihr sagt. Wieder treten ihr Tränen in die Augen, als sie sich vorstellt, ohne Nico in die Schule gehen zu müssen.

»Hör auf«, befiehlt sie sich selbst. »Er wird wieder auftauchen.«

Aber dieses Mal scheint alles so vergeblich. Bei Tiffany hatten alle noch Hoffnung. Jetzt, wo das Verschwinden zur Epidemie zu werden scheint, ist die Hoffnung verschwunden.

»Dad?«, sagt Kendall. »Wir müssen ihn finden. Ich will weiter suchen. Es ist noch nicht dunkel.«

Mr Fletcher schaut auf die Uhr. Dann sieht er Mrs Fletcher an.

»Ich mache noch eine Runde mit«, erklärt Mrs Fletcher. »Geh du doch schon mal zurück zur Farm, Nathan. Kendall und ich gehen mit jemand anderem mit.«

Kendall lächelt unter Tränen.

»Danke, Mum.«

Sie schließen sich einer anderen Gruppe an.

Als Kendall und ihre Mum nach Einbruch der Dunkelheit zurückkehren, suchen sie wieder Sheriff Greenwood auf. Erschöpft geht Mrs Fletcher ins Restaurant, um Kendalls Dad anzurufen und zu bitten, sie abzuholen, während Kendall zu Sheriff Greenwood geht.

»Ich brauche meine Schulpartner-Zuweisung«, erklärt sie. Sie ist so müde, dass sie die Tränen kaum zurückhalten kann.

Sheriff Greenwood sieht sie an und greift nach seinem Klemmbrett.

»Du bist da draußen ganz allein«, überlegt er.

»Ach, echt?« Kendall kann sich den Sarkasmus nicht verkneifen. Sie ist immer noch sauer wegen der gestrigen Befragung, auch wenn der Sheriff den netten Cop gespielt hat.

»Eli trifft sich mit denen vom Nordende«, murmelt er, »Travis ist im Osten, aber einer von euch müsste allein gehen, bis ihr ... hmm.«

Kendall kratzt mit der Stiefelspitze in der Erde, während der Sheriff seine Liste umstellt.

In einer Stadt ohne große Straßenbeleuchtung kommt die Dunkelheit sehr schnell. Die Sterne blitzen. Sie hört die Quads, noch bevor sie sie sehen kann. Es sind Marlena und Jacián.

»Ah, das ist doch eine Idee«, meint Sheriff Greenwood, als er aufsieht. »So kann es funktionieren.« Er wendet sich an die Jugendlichen. »Könnt ihr beide an den Schultagen bei Kendall vorbeifahren?«

Jacián schweigt, und wegen der Dunkelheit kann Kendall seine Reaktion nicht einschätzen. Aber Marlena ist begeistert.

»Klar. Das machen wir gerne.«

Sie steigt ab, geht zu Kendall und umarmt sie kurz.

»Es tut mir so leid. Es muss schrecklich für dich sein«, sagt sie leise.

Kendall schnürt sich die Kehle zusammen. Sie nickt nur, sprechen kann sie nicht.

»Wir haben meilenweit gesucht, bis in die Berge und den Cryer's Pass hinauf, am Wald entlang und zurück.«

»Das ist toll«, sagt Kendall ohne wirkliche Begeisterung. Ihr tut alles weh. Sie will nur noch ins Bett fallen und alles vergessen.

»Jacián und ich können dich nach Hause bringen, wenn du willst. Du siehst müde aus.«

»Mein Dad holt mich ab. Vielen Dank.« Sie schläft fast im Stehen ein.

Zu Hause überprüft sie alle Fenster und Türen im Haus, bevor sie ins Bett fällt.

Wir

Die Stille beunruhigt uns, rüttelt unsere gequälten
Seelen auf. Wir irren herum, enttäuscht, ruhelos,
stoßen andere aus dem Weg. Wir suchen nach
neuem Leben. Dann werden Wir still und kehren
an Unseren Ort zurück. In der Erinnerung.
Hoffend.

Wir sparen Unsere Energie
für einen neuen Tag.

10

Nach einer chaotischen Woche wird die Suche nach Nico Cruz abgebrochen. Sie haben jeden zugänglichen Winkel des Tales zu Fuß durchgekämmt. Jeder Amerikaner mit Fernsehanschluss hat von der merkwürdigen Situation im »malerischen« Cryer's Cross, Montana, gehört, wo im Frühling die junge, unschuldige Tiffany verschwand und nur ein paar Monate später der ältere Bad Boy Nico – wahrscheinlich, weil er sie getötet hat. Oder er hat sie einer Gehirnwäsche unterzogen, damit sie sich drei Monate lang versteckt hält und die Leute davon überzeugt sind, dass ihre beiden Fälle nichts miteinander zu tun haben.

Ganz zu schweigen von Nicos stiller Freundin Kendall. Sie verhält sich unauffällig und weigert sich, mit den Reportern zu sprechen. Weiß sie etwas? Die Spekulationen nehmen kein Ende.

Kendall kann es nicht ertragen.

Jeden Morgen wacht sie auf und muss daran denken. Und jeden Abend um elf Uhr bleibt ihr Telefon still. Mehr als einmal will sie Nicos Nummer wählen, nur um eine Art Verbindung zu spüren, aber sie will seine Familie nicht erschrecken, sie nicht daran erinnern und sie zwingen, ihren persönlichen Horror noch öfter zu durchleben, als sie es ohnehin schon tun.

Im Laufe der Woche fühlt Kendall Schock, Trauer,

Enttäuschung und Wut. Die Nachrichtenteams fangen an, sich zu langweilen, denn es gibt nur ein Restaurant, in dem sie essen können, und das nächste Fast-Food-Restaurant ist dreißig Meilen weit weg. Sie sind die loyalen, schweigsamen Einwohner leid. Sie versuchen, einen neuen Blickwinkel zu finden, aber die Menschen in Cryer's Cross sind ruhig und halten zusammen. Selbst Jacián sieht sie nur an und geht weiter, wenn sie ihm Fragen zurufen.

Kendall sitzt auf den Stufen des Restaurants und wartet darauf, dass ihre Mutter ihr Gespräch in der Drogerie beendet. Sie schiebt sich das Haar aus der Stirn, doch es fällt wieder zurück, als sie auf ihre Hände schaut. Hinter ihr sitzen der alte Mr Greenwood und Hector Morales auf ihren Stammplätzen und schweigen. Wie üblich.

Jacián kommt auf sie zu.

»*Abuelo*«, sagt er scharf. »Kommst du jetzt mit mir?«

Kendall bemerkt, dass er einen leichten Akzent hat, wenn er mit seinem Großvater spricht.

Jacián ignoriert Kendall und geht an ihr vorbei die Treppe hinauf.

Hector sieht auf und sagt etwas auf Spanisch zu ihm. Jacián erwidert etwas und wendet sich dann ab, läuft die Treppe hinunter und schwingt sich auf sein Quad. Er fährt allein los.

Kendall dreht sich um und blinzelt Hector an.

»Jacián soll doch nicht allein fahren. Er könnte verhaftet werden.«

Hector lächelt, wirkt aber besorgt. »Das ist schon in Ordnung. Er ist schon achtzehn und ein Dickkopf. Was soll ich machen? Der Sheriff sagt, es sei legal, dass er allein unterwegs ist, wenn auch dumm. Aber es ist nett von dir, dass du dir Sorgen um ihn machst.«

»Ich mache mir keine Sorgen um ihn«, erwidert Kendall verärgert. Wie soll sie das erklären? Ihr innerer Ordnungszwang drängt sie, etwas zu sagen.

»Es tut mir leid, Kendall. Wirklich. Das mit dem Cruz-Jungen. Ich weiß, dass er dein Verehrer war.«

Kendall starrt auf die Erde zwischen den Stufen.

»Er ist nicht tot«, erklärt sie. »Er ist immer noch mein … Verehrer.«

Das altmodische Wort lässt sie zusammenzucken. Es ist seltsam. Je länger Nico verschwunden ist, desto leichter fällt es ihr, ihn als ihren festen Freund zu bezeichnen.

Hector schweigt. Kendall sieht zu ihm auf, vielleicht ist er ihr ja böse wegen ihres Tonfalls, aber er lächelt sie nur mitfühlend an.

»Wo ist Marlena?«, fragt sie. »Hat sie heute auch gesucht?«

»Sie ist gestern Abend gestürzt und daher heute zu Hause geblieben. Sie ist in eine Furche geraten, die unter einem Busch verborgen lag, und mit dem Quad umgekippt. Sie wird ein wenig unvorsichtig und fährt zu schnell.« Er spricht leise und legt die Hand vor den Mund. »Aber lass das bloß die Nachrichtenleute nicht wissen!«

»Oh, nein«, verspricht Kendall und befreit sich einen Moment lang von ihrem eigenen Elend. »Geht es ihr gut?«

Sie muss plötzlich daran denken, dass heute eigentlich das erste Fußballspiel der Saison stattfinden sollte, aber der Trainer es wegen Nico abgesagt hat.

»Sie hat sich das Bein gebrochen und die Schulter ausgekugelt«, antwortet Hector. »Das wird schon wieder.«

Kendall reißt die Augen auf. »Oh mein Gott, das ist ja schrecklich!« Sie legt eine Hand an ihren Hals. »Ich fasse es nicht. Das tut mir so leid, Hector. Ich hatte ja keine Ahnung. Kann ich irgendetwas tun?«

Er legt den Kopf schief und sieht Mr Greenwood an.

»Wie ich immer zu sagen pflege, in harten Zeiten brauchen Menschen gute Freunde. Nicht wahr, mein Freund?«

Mr Greenwood grunzt.

Endlich kommt Kendalls Mum aus der Drogerie und drückt Hector die Hand.

»Ich habe gerade das von der armen Marlena gehört«, flüstert sie. »Es tut mir so leid. Ich bringe Kendall heute Abend vorbei.«

Hector hebt eine Augenbraue und sieht Kendall an, als wolle er sagen *Siehst du? So macht man das.* Aber er sagt nur: »Ja, Ma'am, da wird sie sich freuen.«

Als Mrs Fletcher und Kendall nach Hause gehen, werden sie von den Trucks der Nachrichtenleute überholt, die in einer Staubwolke aus Cryer's Cross verschwinden. Für sie ist die Geschichte vorbei.

11

Kendall sitzt schweigend neben ihrer Mutter, als diese sie zu Hectors Ranch fährt. Sie ist müde. Noch nicht ganz bereit, das Leben wieder aufzunehmen.

»Ruf mich an, wenn ich dich abholen soll.«

»Okay.« Kendall seufzt. »Wie wäre es mit jetzt?«

»Es wird dir guttun, eine Weile an jemand anderen zu denken«, sagt Mrs Fletcher vorsichtig. »Es hilft dir, mit allem fertigzuwerden.«

Kendall hat keine Tränen mehr. Sie ist zu erschöpft, um auszusprechen, was sie und ihre Mutter beide wissen – dass Nico wahrscheinlich wie Tiffany auf unerklärliche Weise für immer verschwunden ist und dass das Leben weitergehen muss. In einem ländlichen Dorf ist das einfach eine Frage des Überlebens. Die Ernte, die Tiere – nichts kann lebendige Dinge daran hindern, zu wachsen. Nicht ein einziges menschliches Ereignis lässt die Kartoffeln warten. Wenn sie reif sind, sind sie reif.

★★★

Kendall bleibt vor der Tür von Hectors Haus stehen, während ihre Mutter die lange Auffahrt zurückfährt. Auf der Wiese zwischen dem Haus und einer Koppel entdeckt sie Jacián. Ein Flutlicht beleuchtet ein Fußballtor. Im Gras

und um das Netz herum liegen ein halbes Dutzend Fußbälle. Jacián dribbelt einen davon langsam, täuscht dann
links an und umgeht einen unsichtbaren Gegner. Dann
spielt er sich den Ball selbst zu, rennt auf das Tor zu und
schießt den Ball aus spitzem Winkel hinein.

Er bewegt sich wie ein Tänzer.

Als er sich bückt, um den Ball aufzuheben, sieht er
Kendall. Einen Augenblick lang starren sie sich an, dann
wendet sich Kendall ab und klopft an die Tür.

Mr Obregon lässt sie herein. Er und Mrs Obregon begrüßen sie herzlich und danken ihr für ihr Kommen. Sie
bringen sie ins Wohnzimmer, wo Marlena auf dem Sofa
liegt. Ihr rechtes Bein ist bis zur Mitte des Oberschenkels
eingegipst und ihre linke Schulter in einer Schlinge fi-
xiert. Neben ihr sitzt Hector in einem alten Schaukelstuhl.
Marlena hat die Augen geschlossen, aber als Kendall hereinkommt, rührt sie sich.

»Hey«, begrüßt sie sie mit schläfrigem Lächeln. Auf
dem Boden neben ihr liegt eine einzelne Krücke.

»Hey«, erwidert Kendall und blickt sie an. »Wow. Haben sie dich über Nacht im Krankenhaus behalten? Das
sieht ja … richtig ernst aus.«

Marlena grinst. »Ja, aber es ist nicht so schlimm, wie es
aussieht. Es ist ein kleiner, glatter Bruch – das heißt vier
Wochen Gips, vielleicht sechs. Allerdings juckt mein Fuß
wie verrückt. Und die Schulter … ich habe sie mir schon
einmal ausgekugelt, bei einem Fußballturnier in Tuscon.
Dieses Mal ist sie sofort wieder zurückgesprungen und
die Schwellung geht auch schon zurück. Aber ein paar
Minuten lang hatte ich Schmerzen wie Sau!«

»Marlena!«, rügt Hector, zieht die Stirn in Falten und
schüttelt leicht den Kopf, doch selbst, wenn er es wollte,
könnte er nicht böse gucken.

»Tut mir leid, *Abuelo*, das sind die Schmerzmittel.« Marlena schaut ihn schuldbewusst an.

Hector schmunzelt. »Und was bringt dich sonst zum Fluchen? Du bist wohl immer auf Schmerzmittel.«

»Das war ja nicht einmal ein richtiges Schimpfwort!«

»Es ist die Absicht, die es schlimm klingen lässt, nicht das Wort«, erklärt Hector. »Aber ja, ich stimme dir zu. Für dieses Mal kommst du davon.« Dann streckt er die Hand nach Kendall aus. »Wie geht es dir heute Abend, Kendall?«

Kendall geht zu ihm und nimmt seine Hand.

»Mir geht es gut«, entgegnet sie achselzuckend. »Zumindest habe ich keine Schmerzen wie Marlena.« *Oder wie Nico. Vielleicht hat er auch Schmerzen, wenn er überhaupt noch lebt.* Sie wirft einen Blick aus dem Panoramafenster auf Jacián, der immer noch Fußball spielt. Er trifft den Torpfosten, und der Ball prallt zurück. Kendall beobachtet, wie Jacián enttäuscht aufschreit, kann ihn aber nicht hören. Sie nickt Richtung Fenster. »Macht er das oft?«

»Jeden Abend mit Marlena«, sagt Hector. »Er träumt davon, Profi zu werden.«

Marlena richtet sich auf und folgt Kendalls Blick. »Er ist so allein da draußen. Er macht sich Sorgen.«

»Um was?«, will Kendall wissen.

»Das Team.«

»Oh ja. Ich auch. Wir haben … haben Nico verloren.« Abrupt wendet sie sich zu Marlena um. »Oh Mist, und dich auch. Ich …« Sie überlegt einen Augenblick, doch dann wird es ihr klar. Sie haben nur noch sechs Spieler. Ihr sowieso schon zu kleines Team ist jetzt überhaupt kein Team mehr.

Marlena presst die Lippen aufeinander und sieht aus, als wolle sie weinen. »Ich habe gehört, wie Jacián heute Abend nach dem Essen mit dem Trainer telefoniert hat. Er hat versucht, ihn nicht anzuschreien. Dann ist er hinaus-gestürmt. Das war vor Stunden.« Ihre Stimme zittert. »Ich fühle mich so elend.«

»Nun, es gibt keine Regel, die uns verbietet zu spielen«, stellt Kendall fest, aber der Mut verlässt sie. »Nur gesunder Menschenverstand. Acht waren schon zu wenige. Sechs …« Sie bricht ab. Sie hat sich darauf verlassen, dass der Fußball sie aus ihrer Trauer herausholen könne. Wenn sie nicht tanzen oder schauspielern kann, ist Fußball ihre Rettung. Es ist das Einzige, das ihr Gehirn ebenfalls genug beschäftigt, um die wirbelnden Gedanken zurück-zudrängen.

»Vielleicht können wir einen von den Neuntklässlern überreden, mitzumachen«, überlegt sie, aber sie weiß, dass der Trainer schon jeden auch nur halbwegs in Frage kommenden Schüler angesprochen hat, um wenigstens die acht zusammenzubekommen, die sie haben – oder zumindest bis vor einer Woche hatten.

»Du weißt, dass da niemand ist«, erwidert Marlena traurig. »Der Trainer ist am Ende.«

Schweigend sitzen sie zusammen und trauern aus unterschiedlichen Gründen.

»Wie geht es Nicos Eltern?«, fragt Marlena schließlich.

»Vor mir tun sie so, als ginge es ihnen gut, als wollten sie meinetwegen fröhlich sein. Aber Mum sagt, dass sie die Hölle durchmachen. Er ist ihr jüngstes Kind und das einzige, das noch hier wohnt. Alle anderen sind wegge-zogen.«

»Das ist so schrecklich«, sagt Marlena.

Sie wissen beide nicht recht, was sie sagen sollen.

Hector unterbricht ihr Schweigen. »Vielleicht erzählst du uns etwas über Nico. Geschichten helfen immer. Erzähl Marlena von der Zeit, als du noch kleiner warst.«

Kendall seufzt, aber sie tut dem alten Mann den Gefallen.

»Okay.« Sie überlegt kurz. »Na ja, wir sind seit meiner Geburt Nachbarn. Nico ist zwei Monate älter als ich. Wir sind zusammen aufgewachsen, Fahrrad gefahren und haben uns täglich gegenseitig besucht. Wir leben beide auf einer Farm, und unsere Häuser liegen ein ganzes Stück von der Straße weg, wie eures auch. Ich hatte immer das Gefühl, es sei ein richtig weiter Weg bis zu Nico, deshalb musste ich immer ein Lunchpaket dabeihaben.« Sie muss ein wenig lächeln. »Und dann hatte ich immer ein schlechtes Gewissen und habe auch für Nico etwas zu essen eingepackt. Dann bin ich die Auffahrt entlanggeradelt und habe an der Straße angehalten und in beide Richtungen geschaut, mindestens fünfzig Mal – obwohl dort bis heute kaum Verkehr herrscht –, bis ich den Mut hatte, über die Straße zu rasen und zu Nico zu fahren. Unterwegs habe ich manchmal angehalten, um eine Heuschrecke zu fangen oder so. Wenn ich dann endlich an seinem Haus angekommen war, dann brauchte ich mein Lunchpaket, weil ich das Gefühl hatte, es sei richtig anstrengend gewesen, aber Nico ließ mich immer warten. Er ist herausgekommen, und wir sind die Traktorwege auf ihrem Anwesen entlanggefahren, ganz um das Land herum. Ihr Land grenzt an das von einem Nachbarn, der nicht mehr hier lebt … ein alter Mann, der vor ein paar Jahren gestorben ist. Mr Prins. Erinnern Sie sich noch an ihn, Hector?«

»Oh ja. Er war ein verrückter, tauber alter Mann. Am Ende hatte er für niemanden mehr ein gutes Wort übrig. Ich kannte ihn, seit ich ein Teenager war«, erzählt Hector. »Er war nicht immer so verbittert, aber manchmal geschehen Dinge, die einen Menschen verändern.« Sein Blick trübt sich.

73

»Nun ja, ich hatte eine Heidenangst vor ihm«, fährt Kendall fort. »Aber Nico war total von ihm fasziniert. Er musste immer wieder dorthin. Er hat ihn immer geärgert und mich dabei mitgeschleift. Wenn Mr Prins in seinem Garten arbeitete, stellten wir uns genau hinter die Grundstücksgrenze, als ob sie uns irgendwie schützen könnte, und schrien ihm etwas zu, damit er uns ansah, bereit, jederzeit wegzurennen, wenn er es tat. Aber er sah nie auf.«

»Ich dachte, er sei taub gewesen«, meint Marlena.

»Das war er auch«, bestätigt Kendall. »Aber Nico glaubte, er täte nur so.«

»Und wann habt ihr gegessen?«

Kendall lächelt. »Im hintersten Winkel ihrer Farm steht eine große Eiche, in die seine große Schwester und seine Brüder ein Baumhaus gebaut haben, das sie nicht mehr benutzten, als sie erwachsen wurden. Dort sind wir hingegangen, haben unsere Lunchpakete gegessen und den ganzen Tag gespielt. Nico hat gerne mit mir Familie gespielt oder bei den albernen kleinen Theaterstücken mitgemacht, die ich geschrieben habe. Es war, als gehörten wir für immer zusammen.«

Marlena sieht aus, als wolle sie wieder weinen.

»Es tut mir so leid«, sagt sie.

Kendall holt tief Luft, stößt den Atem aus und lächelt unsicher. Sie lehnt sich auf dem Sessel vor und stützt das Kinn in die Hände.

»Was soll ich nur ohne ihn tun? Er ist mein bester Freund. Es ist, als hätte man mir die Hälfte meiner Seele herausgeschnitten.«

Leise steht Hector auf und lässt die beiden Mädchen allein.

Als hätte Marlena auf einen Schalter gedrückt, sprudelt plötzlich alles aus Kendall heraus, ihre Ängste, ihre Trauer.

Wie furchtbar es war, als die Leute andeuteten, Nico hätte etwas mit Tiffanys Verschwinden zu tun. Sie erzählt Marlena sogar von ihrem eigenen, geheimen Problem. Von ihrer Zwangsstörung und dass es ihr durch diesen Stress noch viel schwerer fällt, ihr Gehirn zur Ruhe zu zwingen. Dass sie darauf gehofft hat, Fußball könnte ihr in dieser Situation helfen, aber das sei ja nun auch gefährdet. Und wie dieses Partnersystem alles ruinieren wird, denn sie kann nicht einmal mehr joggen gehen, wenn sie Lust dazu hat. Wie viel Angst sie hat und dass sie sich fragt, wer wohl als Nächstes verschwindet.

Es ist schon nach neun, als Mrs Fletcher Kendall abholt. Sie kommt einen Augenblick herein und stellt einen Plastikbehälter auf den Küchentresen. Sie begrüßt schnell Marlena und unterhält sich ein wenig mit ihren Eltern in der Küche. Kendall, die sich plötzlich verwundbar fühlt, umarmt Marlena vorsichtig zum Abschied und geht nach draußen, wo Hector am Geländer der großen umlaufenden Veranda steht und Jacián zusieht.

»Vielen Dank, dass Sie mich dazu gebracht haben, über Nico zu sprechen«, sagt Kendall. »Ich fühle mich wirklich besser.«

Lächelnd nickt Hector.

»Es tut immer weh, aber es hilft«, erwidert er. »Zum Glück bist du nicht so dickköpfig wie andere.«

Kendall sieht zu Jacián. Er ist jetzt langsamer. Sie kann sich vorstellen, wie erschöpft er sein muss. Als er auf dem feuchten Gras ausrutscht, stürzt er und bleibt keuchend liegen.

»Ich denke, wir haben alle unsere eigene Art und Weise, mit Problemen umzugehen«, meint sie. »Manchmal ist es sogar logisch.«

Hector drückt ihr die Hand.

»Danke, dass du gekommen bist. Werden wir dich morgen wiedersehen? Marlena wird ein paar Tage nicht in die Schule können. Erst wenn sie allein mit einer Krücke laufen kann oder ihre Schulter wieder so weit ist, dass sie zwei nehmen kann.«

Kendall nickt.

»Ja, ich komme gerne. Vielleicht kann ich …« Sie hält inne, denn ihr wird klar, dass sie morgen zum ersten Mal mit Jacián allein in die Schule kommt.

»Vielleicht kommst du mit Jacián nach dem Fußballtraining hierher?«

Mrs Fletcher kommt heraus und schließt die Tür hinter sich. »Fertig, Kendall?«

Kendall drückt Hectors Arm. »Vielleicht. Wir werden sehen.« Sie wendet sich zu ihrer Mutter. »Ja, fertig.«

Sie winken noch einmal, und vier Minuten später sind sie zu Hause.

Nicos Einfahrt sieht dunkel und verlassen aus.

12

Sie will heute nicht aufstehen.

Alles wird so anders sein.

Sie überlegt, ob sie sich krank stellen soll, doch ihr ist klar, dass ihre Mutter sie zwingen wird aufzustehen.

»Diesen Tag bereue ich jetzt schon«, sagt sie zur Zimmerdecke.

Doch schließlich quält sie sich aus dem Bett und macht sich fertig für die Schule. Halbherzig packt sie ihre Fußballsachen ein und fragt sich, ob sie nicht schon das letzte Spiel ihrer Highschool-Fußballkarriere gespielt hat.

Als Jacián in einem von Hectors Ranch-Lastern vorfährt, steckt sich Kendall den Rest Toast in den Mund, kaut schnell und schluckt. Sie nimmt ihre Sachen – und setzt sie gleich wieder ab, weil sie dank ihrer Zwangsstörungen das Haus nicht ohne saubere Zähne verlassen kann. Jacián kommt an die Tür und klopft.

Sie spuckt die Zahnpasta ins Waschbecken, spült den Mund aus und trocknet ihn ab. Dann nimmt sie ihre Bücher und rennt zur Tür. Er steht ihr im Weg.

»Hi«, sagt sie.

Er nickt kurz. »Fertig?«

»Ja.«

Er geht zum Pick-up und hält ihr die Tür auf. Ungeduldig wartet er, während sie versucht, ihn niederzustarren, und sich fragt, was für ein Motiv er möglicherweise hat.

»Das brauchst du nicht zu tun«, klärt Kendall ihn auf. »Ich bin durchaus in der Lage, eine Tür zu öffnen.«

»Mein Großvater wird dich fragen, ob ich dir die Tür aufgemacht habe«, gibt er zurück und geht auf die Fahrerseite. »Ich versuche nur, den alten Mann glücklich zu machen.«

»Ich sage ihm, du hättest es getan. Von jetzt an.«

»Gut.«

Er startet den Motor und wendet auf der Auffahrt, wobei er sorgfältig die Schlaglöcher umfährt. Kendall wirft ihm einen Blick zu, rutscht an ihre Tür und klammert sich an ihre Büchertasche. Als er auf die Schotterstraße abbiegt, sieht sie aus dem Fenster. Sie sieht die Farm ihrer Eltern und hasst den Tag. Sie hasst alles daran. Als Jacián schneller wird, entdeckt sie ihren Vater auf dem großen Mähdrescher. Ihr Vater sieht sie nicht. Er versucht verzweifelt, die Zeit aufzuholen, die sie mit der Suche nach Nico verloren haben. Bis die Ernte eingeholt ist, wird sie ihn nicht oft zu Gesicht bekommen.

Die Fahrt verläuft schweigend. Jacián lenkt den Pick-up auf den Grasparkplatz neben der Schule, stellt den Motor ab und bleibt sitzen. Kendall wirft ihm einen kurzen Blick zu, um gleich darauf wieder auf ihre Hände zu starren.

»Du hast mit dem Trainer geredet«, sagt sie.

Er nickt, sieht sie aber nicht an.

»Was hat er über das Team gesagt?«

Er zieht den Schlüssel aus dem Zündschloss und macht die Tür auf. »Er hat gesagt, dass er uns heute beim Training mitteilen will, was mit dem Team passiert.« Er räuspert sich und steigt aus. Kurz darauf ist er im Schulgebäude verschwunden.

Auch Kendall steigt aus und schließt die Tür. Sie beobachtet die Schüler, die gruppenweise in die Schule gehen. Und plötzlich überkommt sie ein beklemmendes Gefühl. Sie denkt an all ihre Rituale – den Papierkorb, die Kreide, die Vorhänge, das Geraderücken der Tische. Ihr Herz setzt einen Schlag aus und sie eilt ins Klassenzimmer, nur um festzustellen, dass einige Schüler bereits sitzen. Furcht überkommt sie. Das kann nicht wahr sein!

Alles ist aus dem Gleichgewicht, aber sie kann doch nicht alle sehen lassen, wie verrückt sie ist. Sorgsam betrachtet sie den Papierkorb und stößt ihn mit dem Fuß an, bis er richtig steht.

Die Kreide ist durcheinander, daher schlendert sie hinüber, als wolle sie ein lustiges Bild an die Tafel malen, wie es einige der anderen Schüler machen. Stattdessen schubst sie den Behälter mit der Kreide an, sodass er zu Boden fällt. So kann sie sie wieder aufheben und richtig einsortieren. Anschließend geht sie zu den Fenstern, wo andere Schüler sich leise darüber unterhalten, wie komisch es ist, nach allem, was geschehen ist, wieder hier zu sein. Sie zieht an den Vorhängen in ihrer Reichweite und tut so, als wolle sie draußen nach jemandem sehen, während sie sie zurechtzieht. An ein Fenster kommt sie nicht heran, weil Leute davorstehen. Sie beißt sich auf die Lippe und versucht, sich irgendwie einen Weg zum Vorhang zu bahnen, doch schließlich gibt sie auf und belässt es dabei. Sie eilt in den Bereich der Zwölftklässler, versucht unterwegs noch ein paar Pulte geradezurücken und hat das Gefühl, völlig versagt zu haben. Sie weiß, dass es nicht in Ordnung ist. Sie bemerkt nicht, dass Jacián sie neugierig beobachtet.

Kendall setzt sich auf ihren Platz neben Jacián und trommelt nervös mit den Fingern auf die Tischplatte. Es wird sie den ganzen Tag lang beschäftigen. Vielleicht kann sie in der Mittagspause etwas daran ändern.

Und dann, als sie ihren Rucksack auf den Boden stellt, wendet sie sich nach rechts, wie sie es seit zwölf Jahren jeden Tag getan hat. Um mit Nico zu sprechen.

Doch dort ist niemand. Sein Platz ist leer.

Jedes schreckliche Detail prasselt wieder auf sie nieder. Alle Emotionen – Überraschung, Trauer, Angst, Wut. Sie schnappt nach Luft, als sie den Moment erlebt, den sie seit Tagen fürchtet, und sie spürt ein Schluchzen so schnell und heftig in sich aufsteigen, dass sie es nicht unterdrücken kann.

»Scheiße«, stößt sie hervor. Sie vergräbt den Kopf in den Armen und kämpft so lange wie möglich dagegen an. Sie will nicht mehr weinen. Vor allem nicht hier. Nicht vor all den anderen. Kendall muss stark sein. Sie ist taff. Sie ist mit den Jungs um sie herum aufgewachsen. Sie hat mit ihnen rumgetobt, sich verletzt und nicht geweint. In der siebten Klasse hat sie sich beim Völkerball die Nase gebrochen, als ihr Eli Greenwood aus kaum zwei Meter Entfernung und mit voller Wucht einen Ball ins Gesicht warf, und da hat sie auch nicht geweint. Zumindest nicht richtig, sondern nur diese stechenden Tränen, die einfach kommen, wenn man eins auf die Nase bekommt. Und einmal hat sie sich sogar den Arm gebrochen, als sie am höchsten Punkt von der Schaukel gesprungen ist, am Fluss, wo Nico gerne mit seinem Vater angelte. Sie hat das Wasser total verfehlt und ist am Ufer gelandet. Es war ein sehr trockener Sommer.

Doch sie hat nicht geweint. Allerdings hat Nico sie nach Hause getragen. Der Knochen stach ein wenig durch die Haut ihres Unterarms, und auch wenn sie meinte, getragen zu werden sei nicht notwendig, machte sie der Anblick ihres eigenen Knochens doch ein wenig zu schwach, um sich zu sehr dagegen zu wehren.

An diesem Tag hat er sie das erste Mal geküsst.

Und hier sitzt sie nun und heult vor all den Jungen, mit denen sie aufgewachsen ist.

Das heißt, vor fast allen. Der Wichtigste von ihnen fehlt.

Dieser Gedanke lässt sie nur noch mehr weinen.

Kurz darauf spürt sie eine Hand an ihrer Schulter und hört eine Stimme an ihrem Ohr.

»Schon gut, Kendall.«

Es ist die Stimme von Eli Greenwood. Kendall holt tief und bebend Luft und versucht erneut, ihren Kummer zu bändigen. Sie hebt den Kopf. Eli weint auch.

Sie sucht in ihrem Rucksack nach einem Taschentuch.

»Tut mir leid, Jungs. Ich bin echt bescheuert.« Sie ist verlegen. »Wo sind nur die Taschentücher, wenn man sie mal braucht?« Ihre Nase muss knallrot sein. Sie schnieft heftig.

»He, Kumpel, schon in Ordnung«, sagt Travis hinter ihr. Selbst Brandon ist still. Sie sieht ihn an. Er wirkt elend.

Es hat sie alle getroffen. Den Zwölftklässlern geht Nicos Verschwinden viel näher als das von Tiffany Quinn. Kendall glaubt, ein wenig besser verstehen zu können, wie sich Tiffanys Freunde gefühlt haben müssen. Sie sieht zu den Zehntklässlern und bemerkt den Blick von Tiffanys bester Freundin Jocelyn, die sie mitfühlend anlächelt. Dankbar erwidert Kendall das Lächeln.

Jacián, der zu allem geschwiegen und sie nur beobachtet hat, zeigt nach vorne, wo Ms Hinkler versucht, die Aufmerksamkeit ihrer Schüler auf sich zu lenken.

»Brauchst du immer noch ein Taschentuch?«, fragt er rau. »Ich hole dir eins.«

»Nein, geht schon«, entgegnet Kendall. »Danke.«

Jacián nickt, und Eli geht an seinen Platz zurück. Alle setzen sich und versuchen, sich zu konzentrieren.

Für die meisten ist die einzige Möglichkeit, darüber hinwegzukommen, irgendwie weiterzumachen.

13

Irgendwie schafft sie es bis zur Mittagspause, wo sie die Gelegenheit hat, die Vorhänge und Tische gerade auszurichten. Nach draußen an ihren Stammplatz zu gehen, um zu essen, erträgt sie nicht. Sie erträgt ja kaum den Anblick von Nicos Pult. Es ist so leer. So kalt.

Am Nachmittag kann sie sich gar nicht mehr konzentrieren, und Ms Hinkler gibt ihr sogar die Erlaubnis, den Kopf auf den Tisch zu legen und nur zu versuchen, die Zeit durchzustehen.

Nach der Schule will Kendall nichts lieber als Fußball spielen, um den Wirbelsturm aus ihren Gedanken zu bekommen. Sie will sich die Trauer und die Sorge wegtrainieren und zur Abwechslung mal an etwas anderes denken.

Im Umkleideraum ist sie wegen Marlenas Verletzung wieder alleine, und sie wünscht sich, dass der Trainer mehr Spieler für das Team gefunden hat, bevor sie noch ein Spiel ausfallen lassen müssen. Das nächste ist für morgen in Bozeman angesetzt. Sie läuft auf das Feld und beginnt, sich warm zu machen. Bei jeder Dehnung zählt sie bis dreißig und zählt die Schritte, als sie an ihren Platz joggt. Langsam kommen die anderen dazu. Sicherheitshalber zählt sie auch sie.

Vier Zwölftklässler. Ein Neuntklässler. Nur noch ein Zehntklässler. Sechs.

Der Trainer verspätet sich, und das Team wärmt sich mit einem Übungsspiel drei gegen drei auf. Kendall fühlt sich unwohl ohne Nico. Sie haben so oft miteinander gespielt, und zwischen ihnen herrschte eine nonverbale Kommunikation, die sie über Jahre hinweg aufgebaut hatten. So etwas ist nicht leicht zu ersetzen.

Auch Jacián scheint sich ohne seine Schwester etwas verloren zu fühlen. Die beiden bilden zusammen mit Brandon ein Team und versagen kläglich, als sei es ihr allererstes Fußballspiel.

Sie spielen zwanzig qualvolle Minuten, bis der Trainer kommt. Als er das Feld betritt, bleiben alle stehen. Er winkt sie heran.

»Jungs«, sagt er.

Zum ersten Mal fallen Kendall die Fältchen um seine Augen auf. Er sieht müde aus. Er wartet darauf, dass alle schweigen, wirft einen Blick auf sein Klemmbrett und spielt mit der Pfeife um seinen Hals.

»He, Leute, hört mal her. Schön, euch wiederzusehen.« Er lächelt verbissen. »Ich wünschte nur, es geschähe unter besseren Umständen. Im Moment fehlen uns zwei unserer Besten. Jacián, bringst du uns auf den neuesten Stand?«

»Sie hatte eine unruhige Nacht, aber sie ist zäh.« Jaciáns dunkle Haut glänzt vor Schweiß in der Nachmittagssonne. »Aber der Arzt sagt, dass sie diese Saison nicht mehr spielen kann.« Er senkt den Blick. »Tut mir leid, Leute. Sie fühlt sich echt schlecht deswegen.«

Kendall sieht aufs Gras.

»Und mittlerweile wisst ihr ja alle, dass wir nur noch sechs sind. Letztes Jahr haben wir mit neun gespielt, und das war schon schwer. Zu acht wäre es dieses Jahr wahrscheinlich fast unmöglich gewesen. Bei einem einzelnen Spiel mag das ja noch gehen, aber jedes Spiel, die ganze

Saison lang …« Er hält inne und schüttelt den Kopf, als wolle er die nächsten Worte eigentlich nicht aussprechen.

»Ich habe gestern Abend ein Dutzend Telefonate geführt, Leute. Und ich habe nicht einen neuen Spieler gefunden, der infrage kommt. Nicht einen. Es gab nicht einmal jemanden, der zögerte oder schwankte oder mir ein Vielleicht gab. Wir haben ein Drittel der Schüler für unser Fußballteam engagiert. Das ist, prozentual gesehen, um einiges mehr als an den meisten anderen Schulen im Land. Aber das ist die Grenze.« Wieder verstummt er und seufzt. »Wir sind am Ende, Leute. Es tut mir leid, aber das ist für uns das Ende der Fahnenstange.«

Das ganze Team starrt zu Boden. Keiner traut sich, aufzusehen.

»Es tut mir besonders für euch Zwölftklässler leid, da ihr euer letztes Spiel als Elftklässler gemacht habt. So sollte eure Karriere nicht enden.«

Er sieht Jacián und den Rest der Gruppe an. »Einige von euch haben echtes Talent und können vielleicht in einem College-Team spielen. Ich hoffe, ihr versucht es. Übt allein weiter und gebt nicht auf.«

Der Trainer nimmt die Baseballkappe ab, streicht sich über die kurzen Haare und setzt sie wieder auf. »Das war's. Es tut mir leid. Wir haben unser Bestes gegeben. Ich bin noch eine Weile hier auf dem Gelände, falls jemand mit mir sprechen möchte.« Einen Moment lang bleibt er fast unsicher stehen und geht dann langsam zum Schulgebäude zurück.

Das Team steht wie erstarrt da. Nur langsam wird ihnen klar, dass die Fußballsaison vorbei ist und sie ihrem Trainer zum letzten Mal nachsehen. Für einige ist die Fußballkarriere gelaufen, und das ist schwer zu verkraften.

Einen Moment später stürmt Jacián davon, allerdings

nicht dem Trainer nach, sondern in den Umkleideraum. Kendall sieht ihn mit seinem Rucksack und seiner Schulkleidung unter dem Arm wieder herauskommen und zum Laster gehen.

»Warte«, ruft sie ihm nach. Er ist ihre einzige Mitfahrgelegenheit, wenn sie nicht verhaftet werden will. Was für eine irre, chaotische Welt.

Sie rennt in die Umkleide der Mädchen und holt ihre Sachen. Zu den anderen murmelt sie einen letzten Gruß zum Abschied. Das war's für sie.

So viele schöne Dinge gehen zu Ende.

Sie joggt vom Platz, doch als sie sieht, dass Jacián immer noch im Laster sitzt und auf sie wartet, wird sie langsamer. Sie steigt ein, und für einen Moment sitzen die beiden einfach nur so da. Jaciáns Gesicht ist voller Zorn, doch er sagt nichts.

»Kannst du mich bitte mit zu euch nehmen?«, fragt Kendall matt. »Ich habe deinem Großvater versprochen, dass ich Marlena besuchen komme.«

Jacián gibt ihr keine Antwort. Stattdessen startet er den Pick-up und lenkt ihn vom Parkplatz auf die Straße. Er fährt viel zu schnell, der Wagen schlingert über den losen Kies. Kendall schließt die Augen und hält sich krampfhaft an der Armlehne ihrer Tür fest. Er fährt immer schneller, bis es sich für Kendall wie Überschallgeschwindigkeit anfühlt. Erst, als der Pick-up in ein paar Schlaglöchern aufsetzt, verlangsamt er das Tempo.

Wie aus dem Nichts schlägt Jacián plötzlich mit den Fäusten auf das Lenkrad. »Scheiße!«

Kendall erschrickt und drückt sich noch enger gegen die Tür.

Jacián bremst ab und biegt in die Auffahrt der Ranch ein. Er holt tief Luft.

Sie sieht ihn an. Sein Gesicht wirkt entspannter. Er fährt nun vorsichtig, absichtlich.

»Ich wäre dir sehr dankbar, wenn du das nicht erwähnen würdest«, sagt er düster. »Meinen Erziehungsberechtigten geht es am Arsch vorbei, dass sie mir mein Leben versaut haben.«

Kendall betrachtet ihn. »Vielleicht solltest du dir Hilfe holen. Aggressionsbewältigung wäre eine gute Idee.«

Er lacht bitter auf. »Meinst du? Und wo sollte ich dafür hingehen? In den Supermarkt oder in die Futter- und Samenhandlung?«

Kendall ignoriert ihn. Sie schaut nur aus dem Fenster, als Hectors Haus auftaucht. Leise fragt sie: »Warum musst du nur so ein Idiot sein?«

Er fährt den Pick-up in die große Scheune und gibt keine Antwort. Dann steigt er aus und holt aus einer Ecke ein großes Netz mit Fußbällen, mit denen er zu dem provisorischen Fußballfeld geht, ohne sich umzusehen.

Kendall geht zum Haus und klopft.

Kurz darauf reißt Hector die Tür weit auf.

»Hallo Kendall! Schön, dass du wiederkommst!«

Kendall lächelt. »Schön, dass Sie mich eingeladen haben.«

»Glücklicherweise schläft Marlena gerade. Sie hat es wirklich nötig. Aber ich glaube, du hast nichts dagegen, dir die Zeit so lange mit Fußballspielen zu vertreiben, habe ich recht?«

Kendall starrt ihn an, wie er mit seinem unschuldigen Lächeln vor ihr steht. Sie lässt den Rucksack auf die Veranda plumpsen.

»Im Ernst, Hector?« Sie klingt angespannt.

»Natürlich solltest du erst deine Mutter anrufen und ihr sagen, dass du hier bist.« Hector geht in die Küche und kommt gleich darauf mit dem Telefon zurück.

Kendall seufzt. »Vielleicht sollte sie einfach kommen und mich abholen.«

»Oh, nein, bitte nicht! Marlena hat sich den ganzen Tag auf deinen Besuch gefreut. Sie hat nur geglaubt, du würdest später kommen, nach dem Fußballtraining.«

»Na ja, es gibt kein Fußballtraining mehr.«

Hector wird ernst. »Das tut mir leid. Es ist schade für dich und Jacián. Marlena fühlt sich verantwortlich.«

»Es ist nicht ihre Schuld«, antwortet Kendall automatisch. Dann ruft sie zu Hause an und hinterlässt eine Nachricht, dass sie bei Hector ist. Für unbestimmte Zeit.

»Holt mich einfach ab, wenn ihr mich braucht«, sagt sie. »Bis bald.« Sie versucht, nicht allzu verzweifelt zu klingen.

Hector nimmt ihr das Telefon ab und scheucht sie zum Hof, wo sich Jacián wieder warm macht.

»Ich gehe in die Stadt, um ein wenig bei meinem Freund zu sitzen«, ruft er ihr nach. »Geh nachher einfach hinein.«

Seufzend geht Kendall die Veranda hinunter.

»Okay«, antwortet sie, obwohl sie eigentlich gar nicht hier sein will. Sie wünscht sich, sie könnte einfach bei Nico sein und alles wäre wieder in Ordnung.

Sie geht auf Jacián zu, darauf vorbereitet, bei ihm abzublitzen. Genau das braucht sie heute noch, dass ein aufgeblasener Idiot ihr sagt, sie solle verschwinden. Blöder Hector. Er sollte es nicht übertreiben.

Jacián sieht sie kommen und dehnt sich weiter. Kendall bleibt unbeholfen vor ihm stehen und wartet auf eine Reaktion.

»Ja?«, fragt er schließlich.

»Marlena schläft. Hector fährt in die Stadt.«

Jacián blinzelt zu ihr auf. »Was bist du? Der Butler?«

Kendall verdreht die Augen. »Hast du etwas dagegen, wenn ich mitspiele? Solange ich auf Marlena warte?«

Er steht auf, greift nach dem Netz und zieht es auf. Die Bälle fallen heraus und rollen über das Gras.

»Die Wiese ist ja groß genug.« Er kickt ihr einen Ball zu und dribbelt einen anderen auf dem Gras hin und her, um sich aufzuwärmen.

Kendall holt ein Gummiband aus der Tasche und bindet sich die Haare zu einem Pferdeschwanz zusammen. Dann wärmt sie sich auf wie bei einem normalen Training, wobei sie Jacián aus dem Weg geht. Sie spielen jeder für sich.

Es dauert nicht lange, bis Kendall im Spiel aufgeht. Das ständige Wirbeln ihrer Gedanken wird leiser und langsamer. Sie zählt einhundert Schritte, danach kann sie sich voll und ganz auf den Ball konzentrieren. Sie liebt es, wie er über das Gras rollt und alle Einzelheiten erforscht, wie eine Hand auf nackter Haut. Sie spürt, wie ihre Muskeln ihr für die Dehnung danken, spürt die Schweißperlen, die ihr auf die Stirn treten. Spürt ihren Atem, der ihr den Weg vorgibt.

Es gibt in ihrer Welt nichts Vergleichbares. Nichts, das ihr diese Glückseligkeit geben würde, die sie gerade empfindet. Nach sieben Tagen ständigen Dröhnens kommt ihr Gehirn endlich zur Ruhe. Eine unglaubliche Befreiung.

Sie ignoriert Jacián komplett und wahrt Abstand. Sie beginnt mit den Übungen, die sie früher mit Nico gemacht hat, schießt sich selbst die Pässe zu und rennt wie der Teufel, um den Ball einzuholen und ins Netz zu befördern. Dann holt sie ihn wieder heraus und läuft zurück ans andere Ende der Wiese, immer hin und her, als würde sie Wettrennen mit dem Ball machen. Immer wieder ein neues Spiel mit dem unsichtbaren Nico.

Es ist komisch, wie tröstlich die Erinnerung an jemanden hier draußen sein kann.

Es vergeht eine Stunde, bis Kendall ihren Stress abgebaut hat. Sie und Jacián gehen sich erfolgreich aus dem Weg, doch als er einmal seinen Ball verliert, platziert Kendall ihn vor seinen Füßen, und er bedankt sich mit einer Handbewegung.

Hector wäre stolz auf sie.

Als Kendall vor Durst fast umkommt, beendet sie ihr Training und hofft, dass Marlena mittlerweile wach ist. Jaciáns Hemd klebt an seinem Körper. Schweiß tropft ihm aus den dunklen, lockigen Haaren. Er atmet schwer, als sie vorbeigeht und ihren Ball in das Netz fallen lässt.

»Danke«, sagt sie.

»Schon gut.« Beinahe hätte er gelächelt.

Spontan fügt sie hinzu: »Brauchst du etwas zu trinken? Ich gehe rein.«

»Nein, ich habe eine Flasche in meiner Sporttasche.«

Wie höflich.

Marlena ist wach. Kendall nimmt sich ein Papiertuch, feuchtet es an und wischt sich damit über Gesicht und Nacken. Anschließend gießt sie sich ein Glas Wasser ein und geht ins Wohnzimmer, wo Marlena wieder auf dem Sofa sitzt.

»Entschuldige, ich stinke wie die Pest. Wie geht es dir heute?«

»Tut ziemlich weh.«

»Kannst du denn schon herumlaufen?«

»Nicht, ohne mich zum Idioten zu machen oder mich umzubringen. Aber ich arbeite daran.«

»Das heißt also, du wirst noch ein paar Tage zu Hause bleiben?«

»Ja. Das ist total bescheuert. Mir ist todlangweilig.«
Vorsichtig dreht Marlena sich um. »Also ... ich habe dich
draußen gesehen. Ihr seid früh hier. Was hat der Trainer
gesagt?«

Kendall nimmt einen großen Schluck Wasser und
wischt sich einen Tropfen von der Lippe.

»Wir sind am Ende. Es ist vorbei«, erklärt sie und zuckt
mit den Achseln. »Er hat herumtelefoniert, hat aber niemanden gefunden, der uns helfen kann. Er meinte, es
sei schon ziemlich gut gewesen, dass wir ein Drittel der
Highschool-Schüler für das Team hatten. Wenn man es
so sieht, ist es natürlich ziemlich aussichtslos, jemand anderen zu finden.«

Marlena lässt den Kopf wieder auf das Kissen sinken.

»Oh. Mist. Jacián wird mich umbringen.«

Kendall schweigt.

»Der Trainer hat versucht, einen Scout dazu zu bringen,
sich eines unserer Spiele anzusehen, damit Jacián vielleicht
an eine der großen Fußball-Schulen kann. Er schwankte
noch zwischen UCLA und Stanford. Jetzt habe ich ihm
die Chancen für ein Stipendium versaut.« Ihre Stimme
zittert. »Ist er sehr wütend gewesen?«

Kendall muss an die Szene im Pick-up denken und
presst die Lippen aufeinander.

»Nicht mehr als sonst«, antwortet sie leichthin.

»Oh Gott, ich fühle mich so mies.« Marlena beginnt
zu weinen.

»Scheiße.« Kendall geht zu ihr rüber und setzt sich auf
den Boden. »Komm schon, Marlena, das ist doch nicht
deine Schuld. Nico ist auch weg. Wir haben zwei Spieler
gleichzeitig verloren, und dabei waren wir sowieso schon
einer weniger als letztes Jahr. Es liegt nicht nur an dir.«

Jacián kommt herein und geht mit seinen dreckigen

Fußballschuhen durch den Flur. Kendall hört, wie sich eine Tür schließt und einen Moment später das Wasser rauscht, als er die Dusche anstellt. Ihre Gedanken schweifen ab, und sie schüttelt verlegen den Kopf.

Marlena schaut traurig aus dem Fenster, während Kendall die Finger verschränkt und wieder auseinanderzieht und in jeder Position bis sechs zählt. Als plötzlich das Telefon klingelt, streckt sie sich, um es vom Tisch zu nehmen und Marlena zu reichen.

»Hallo?«

Marlena hörte einen Augenblick lang zu. »Er ist gerade hereingekommen und duscht. Kann er dich zurückrufen?« Nach einer kleinen Pause sagt sie: »Okay. Bye.«

Kendall sieht sie neugierig an.

»Seine Freundin«, erklärt Marlena. »Aus Arizona.«

»Ach so.« Kendall greift nach einer Zeitung und blättert sie lustlos durch. Wie Jacián es geschafft hat, sich eine Freundin zuzulegen, ist ihr ein Rätsel. »Ist er immer so eklig?«

»Nein, aber er hasst das alles hier.«

»Und deshalb versucht er, allen anderen auch das Leben zu vermiesen?«

»Wahrscheinlich«, seufzt Marlena. »Aber im Ernst, seit wir hierhergezogen sind, läuft es für ihn nicht sonderlich gut. In Arizona hatte er einen Wochenendjob in einer Fußballhalle, den er geliebt hat. Er hatte einen Sommerjob in einem Fußballlager in den Bergen, den er aufgeben musste, weil meine Eltern ihn hier auf der Farm arbeiten lassen. Er hatte seine Freundin und eine ausgezeichnete Schule mit einem erstklassigen Fußballteam.

Nachdem das Schuljahr zu Ende war, sind wir hierhergezogen, und innerhalb einer Woche haben Sheriff Greenwood und die State Police an die Tür geklopft und haben Jacián alle möglichen miesen Dinge vorgeworfen. Dann hat Grandpa ihn Vieh treiben und Fleisch ausliefern lassen. Wir hatten keine Ahnung, was wir hier sollten.« Sie rutscht auf dem Sofa herum, um eine bequemere Lage zu finden. »Als er euch alle hat spielen sehen, war er mit dem Fußballteam sehr zufrieden, denn die meisten sind gar nicht schlecht. Es war auch ziemlich cool vom Trainer, dass er so viel dafür getan hat, einen Scout zu einem Spiel in Bozeman zu bekommen. Aber jetzt ist auch das vorbei.« Sie legt das Telefon wieder auf den Tisch. »Und er hat Streit mit seiner Freundin.«

»Er hat Streit mit jedem«, entgegnet Kendall. Das Rauschen des Wassers hört auf.

Marlena zuckt mit den Achseln. »Er ist wirklich kein schlechter Kerl. Eigentlich ist er sogar sehr nett.«

»Und was ist mit dir?«, fragt Kendall. »Was musstest du zurücklassen? Hasst du es hier auch?«

Sie fühlt sich, als müsse sie sich verteidigen. Ihr ist sehr wohl bewusst, dass Cryer's Cross eine merkwürdige Stadt ist und dass die meisten Dinge hier etwas langsamer ablaufen als in anderen Städten. Sie weiß, dass es im Rest des Landes undenkbar wäre, dass jemand zu Pferd in die Stadt reitet, aber hier tun es die älteren Leute gelegentlich.

Marlena lächelt. »Ich? Oh, mir gefällt es hier. Es ist so schön hier in den Bergen. Die Luft ist so sauber, und man kann die Sterne sehen. Ich bin froh, dass wir hergekommen sind. Das Leben in der heißen, schmutzigen Stadt – das war einfach nicht mein Ding.«

»Das ist cool. Glaubst du, dass deine Eltern hierbleiben werden? Für ein Jahr oder auf unbestimmte Zeit?« Kendall hört, wie eine Tür geöffnet und gleich darauf eine andere geschlossen wird.

»Ich glaube, wir bleiben hier, solange mein Großvater

lebt. Das ist in unserer Kultur so Tradition, verstehst du? Meiner Mum ist es sehr wichtig, dass wir uns um Grandpa kümmern, jetzt, wo er Hilfe braucht.«

»Cool. Das gefällt mir.« Kendall schlingt die Arme um die Knie und legt das Kinn darauf. Sie mag Marlena. Es ist gar nicht so schlecht, ab und zu mit einem Mädchen zusammen zu sein.

Kendalls Mutter ruft an. »Die Batterie im Auto ist leer, und dein Vater ist mit dem Truck ganz hinten auf den Feldern und kommt erst spät zurück. Kannst du Hector bitten, dich nach Hause zu fahren?«

»Ja, aber er ist im Moment nicht da.«

»Nun, vielleicht können es Marlenas Eltern oder Jacián machen? Ich sitze hier fest. Wenn sie es nicht schaffen, dann ruf mich an, ich laufe herüber und hole dich zu Fuß ab. Aber unsere Hilfskräfte machen die nächsten Wochen Überstunden, deshalb würde ich ihnen gerne etwas zu essen anbieten.«

»Schon in Ordnung, Mum. Ich bin sicher, dass sie mich bringen können. Bis gleich.«

Kendall legt auf. »Hm, sind deine Eltern bald zurück? Beim Auto von meiner Mutter ist die Batterie leer.«

»Sie kommen erst heute Abend wieder.« Marlena dreht sich um und ruft: »Jacián!«

»Nein, nein, schon gut«, wendet Kendall ein, »ich kann auch auf Hector warten.«

»Jacián!«, ruft Marlena wieder und sagt dann etwas auf Spanisch.

Einen Augenblick später kommt er ins Wohnzimmer. »Ich sage Grandpa, dass du das gesagt hast. Was willst du?«

»Beim Auto von Kendalls Mutter ist die Batterie leer, deshalb braucht Kendall jemanden, der sie nach Hause fährt. Außerdem hat Mama gesagt, du sollst mir etwas zu essen machen. Ich könnte sterben für einen Hamburger mit Pommes. Wann kriegt ihr hier endlich mal ein Fast-Food-Restaurant?«

Kendall schaut weg. »Tut mir leid, Jacián.«

Er schweigt einen Moment, und sie will seinen Gesichtsausdruck gar nicht sehen. »Okay«, sagt er trocken. »Bist du so weit?«

»Ja.« Kendall ist sich schmerzlich ihrer stinkenden, verschwitzten Sachen bewusst. Sie nimmt ihren Rucksack und ihre Fußballtasche und umarmt Marlena kurz.

»Auf Wiedersehen, Marlena. Ich hoffe, es geht dir morgen besser.«

»Kommst du wieder?«, fragt Marlena hoffnungsvoll.

»Ich … ich weiß nicht. Vielleicht.«

»Ich hoffe, du kannst kommen. Am besten schon morgen!«

Jacián öffnet die Haustür und läuft zur Scheune hinüber. Kendall folgt ihm und steigt ein, als er den Motor anlässt.

»Du stinkst«, bemerkt er naserümpfend.

»Vielen Dank«, entgegnet sie.

Sie fahren schweigend, doch dieses Mal ist Jacián wesentlich vorsichtiger. Kendall muss an die morgige Fahrt denken, und ihre Ängste setzen wieder ein.

»Kannst du mich morgen ein paar Minuten früher abholen?«

»Warum?«

»Ich … Ich bin nur gerne ein wenig früher in der Schule.«

»Ich bin ganz gerne erst in der Schule, wenn der Unterricht beginnt.«

Kendall spürt, wie ihr Stresspegel steigt. Ihre Gedanken

spielen schon wieder verrückt, sie macht sich Sorgen, dass sie den Raum nicht so herrichten kann, wie er sein sollte, und dass sie sich nicht damit auseinandersetzen kann, Nicos leeren Platz zu sehen, bevor die anderen kommen. Sie beißt sich auf die Lippe und sieht aus dem Fenster.

»Na gut«, sagt sie. Sie wird damit fertig werden müssen.

Er wirft ihr mit gerunzelter Stirn einen Blick zu und konzentriert sich dann wieder auf die Straße. Kurze Zeit später biegt er in ihre Auffahrt ein, fährt vor das Haus und parkt neben Mrs Fletchers Auto. Er kurbelt die Fenster herunter, stellt den Motor aus und öffnet an einem kleinen Hebel die Motorhaube des Pick-ups.

Kendall sieht ihn an. »Was machst du denn da?«

»Kannst du bitte die Autoschlüssel von deiner Mutter holen?«

»Sie legt sie immer unter die Fußmatte.«

Jacián starrt Kendall an und schüttelt leicht den Kopf.

»An diesen irren Kleinstadt-Kram werde ich mich nie gewöhnen«, murmelt er. »Da, wo wir herkommen, wäre der Wagen in zehn Minuten geklaut.«

Kendall zuckt die Achseln. »Hier nicht.«

»Wahrscheinlich schließt ihr nachts auch nicht die Türen ab.«

Sie reißt die Augen auf. »Was meinst du denn damit? Natürlich schließen wir ab. Alle Türen. Also versuch es erst gar nicht.«

Jacián blickt sie prüfend an. »Ich meinte gar nichts damit.« Er steigt aus und holt ein Überbrückungskabel aus einer Werkzeugkiste, die auf der Ladefläche des Pick-ups steht. »Mein Gott, du nicht auch noch!«, bemerkt er enttäuscht.

»Nein, ich habe nicht gemeint …«

»Doch, hast du.« Er reißt die Motorhaube auf und

bringt die Klemmen an der leeren Batterie an. Dann reicht er Kendall die anderen Enden. »Sie dürfen sich nicht berühren.«

»Das weiß ich, ich bin doch nicht blöd.« Kendall klemmt die schwarze und die rote Klemme an den richtigen Stellen der Batterie im Pick-up an. »Soll ich den Truck starten?«

»Ja.« Jacián steigt in Mrs Fletchers Auto.

Kendall lässt den Motor an, und als er gleichmäßig läuft, versucht Jacián, das Auto zu starten. Es klappt beim zweiten Versuch.

Zufrieden lächelt er. Dann steigt er aus und löst die Kabel in umgekehrter Reihenfolge.

»Okay. Das war's. Lass den Motor eine Weile laufen.« Er rollt die Kabel ein und legt sie wieder in die Werkzeugkiste. »Vielleicht fährst du sogar eine Runde damit.«

»Ich darf nicht, das weißt du doch.«

»Stimmt«, erwidert er. »Hatte ich schon vergessen. Muss echt ätzend sein.«

Kendall lässt den Motor laufen, als sie aus dem Pick-up aussteigt.

»Ja, ziemlich«, entgegnet sie. »Vielen Dank fürs Herfahren und für das mit dem Überbrückungskabel. Meine Mum wird dir sehr dankbar sein. Wir ... wir sehen uns dann morgen.«

Er steigt ein, schließt die Tür und legt den Ellbogen auf den Fensterrahmen.

»Wenn du morgen nach der Schule zu uns kommen willst, bring deine Fußballsachen mit.«

Er legt den Gang ein. Kendall spürt, wie sie rot wird.

»Vielleicht«, meint sie leichthin, doch dann fällt ihr ein: »He, als du geduscht hast, hat deine Freundin angerufen. Marlena hat vergessen, es dir zu sagen.«

Jaciáns Gesichtsausdruck verändert sich nicht.

»Oh, gut«, sagt er. »Danke.« Dann zieht er den Arm weg, setzt zurück und wendet. Ohne ein weiteres Wort fährt er davon.

Wir

So dicht davor. Wir spüren die Wärme, aber Wir
können sie nicht erreichen. Wollen. Brauchen.
Fünfunddreißig, einhundert. Fünfunddreißig,
einhundert. Wir schreien danach, berührt zu werden,
mit Furcht in Unseren kratzigen Stimmen. Fünfzig
kalte Jahre in der Dunkelheit, in kochendem Leiden.
Komm näher! Wir wollen dich noch mehr als den
letzten. Qualvoll.

Bitte.
Rette mich.

14

Er kommt früh.

Kendall ist fertig und sitzt vor dem Panoramafenster. Sie denkt an Nico und wünscht sich so sehr, dass er bei ihr ist, dass ihr fast das Herz bricht. Sie wünscht sich, sie könnte mit ihm reden. Als sie die Staubwolke am Ende der Auffahrt sieht, glaubt sie erst, dass er es ist, doch die Realität holt sie schnell und schmerzhaft wieder ein.

Bei Jaciáns Ankunft hat sie bereits ihre Mutter zum Abschied geküsst und wartet draußen. Sie springt in den Pick-up. Eigentlich möchte sie ihm dafür danken, dass er früher gekommen ist, doch plötzlich ist es ihr peinlich, das Thema wieder anzuschneiden. Kurz fragt sie sich, warum sie sich von ihm so durcheinanderbringen lässt. Er ist einfach so … undurchschaubar.

Vor der Schule begegnet sie dem alten Mr Greenwood, und schnell läuft sie hinein, um so viele Dinge wie möglich zu richten, bevor Jacián sie einholt. Sie schafft den Papierkorb, die Kreide, die Fensterriegel und die Vorhänge, bevor sie ihn kommen hört. Dann stellt sie nacheinander die Tische gerade. Erleichtert streicht sie über jeden einzelnen und liest die eingeritzten Worte, als seien sie Beruhigungsmittel. Es ist ihr sogar egal, dass er sie dabei anstarrt.

Als sie zum Block der Zwölftklässler kommt, sitzt Jacián bereits an seinem Pult und liest. Sein Tisch steht leicht schief, nicht so sehr, dass es einem normalen Menschen auffallen würde, aber für Kendall ist es wie eine Musiknote, die permanent falsch klingt. Sie ist kurz davor, ihn zu bitten, beiseitezugehen, aber sie weiß, wie merkwürdig das für ihn aussehen muss. Ihr ist klar, dass Menschen ohne Zwangsstörungen sie nicht verstehen können. Das ist für sie auch in Ordnung. Trotzdem. Sie wird warten, bis er aufsteht. Sie macht mit den anderen Pulten weiter – Elis, Travis' Brandons ... doch den Anblick von Nicos Platz erträgt sie noch nicht. Als sie Jaciáns Tisch ansieht, ärgert es sie mehr als üblich, dass er schief steht. Doch die ersten Schüler kommen bereits herein.

Wortlos, und ohne sein Buch wegzulegen, steht Jacián auf und geht ihr aus dem Weg.

»Bitte sehr«, sagt er.

Sie sieht ihn überrascht an, aber das bemerkt er nicht. Zögernd und mit fest aufeinandergepressten Lippen diskutiert sie stumm mit sich selbst. Sie richtet schnell seinen Tisch aus, sodass er perfekt in der Reihe steht. Anschließend lässt sie sich auf ihren eigenen Platz fallen, holt tief Luft und stößt sie langsam wieder aus.

»Danke«, sagt sie leise.

Sein Mund zuckt, aber er liest weiter.

Sie wendet sich Nicos Pult zu. Heute ist sie besser darauf vorbereitet, dass er nicht da ist. Es ist immer noch schrecklich. Sie rückt den Tisch ganz leicht und liebevoll gerade, sodass er in einer Linie mit ihrem steht. Vorsichtig streicht sie mit dem Finger darüber. Sie hebt den Deckel und sieht hinein, doch es ist nichts mehr darin. Er ist so kalt und nackt. Leer. Sie liest die eingeritzten Worte, doch ohne ihn scheinen sie etwas ganz anderes zu bedeuten. Es ist immer noch Nicos Pult, aber etwas daran ist ungewöhnlich und nagt in ihrem Unterbewusstsein, ohne dass sie es ganz greifen kann.

Doch dann erkennt sie, was es ist. In der Tischplatte sind neue Worte eingeritzt, sehen aber nicht neu aus. Es scheint so, als stünden sie wie die anderen schon zehn, zwanzig oder fünfzig Jahre dort. Kendall beugt sich herüber, um sie besser lesen zu können. Sie sind garantiert nicht neu. Hätte Nico sie geritzt, wären sie nicht so glatt.

Ms Hinkler beginnt den Unterricht damit, Blätter auszuteilen. Kendall sieht sich um, um sicherzugehen, dass sie sich nicht zu merkwürdig verhält, und beugt sich erneut über Nicos Tisch. Fast in der Mitte steht ohne jeden Zweifel:

Bitte.
Rette mich.

Seltsam, dass ihr das noch nie zuvor aufgefallen ist. Wie konnte sie so etwas übersehen?

Sie hört den ganzen Tag lang kein Wort von dem, was Ms Hinkler sagt. Sie kann sich nicht konzentrieren, weil sie sich über das Pult und die Worte darauf wundert. Sie betrachtet es und richtet ihre ganze Aufmerksamkeit darauf. Ihr fällt ein, dass dieser Tisch nicht schon seit jeher in diesem Klassenzimmer steht. Er ist zwar genauso alt wie die anderen, aber er hatte im Lager gestanden, bis er gebraucht wurde. Der alte Mr Greenwood hatte ihn im letzten Frühling heraufgeholt, weil ein anderer kaputt gegangen war.

Sie weiß, wer zuvor an diesem Tisch gesessen hat. Tiffany Quinn.

Und nachdem das Klassenzimmer in den Sommerferien gründlich gereinigt worden war, war es schließlich Nicos Tisch geworden.

Kendall schnappt hörbar nach Luft, laut genug, dass Jacián zu ihr hinüberschaut und fragend eine Augenbraue hebt.

Kendall sieht ihn einen Augenblick lang an, lächelt dann zögernd und winkt ab.

»Es ist nichts«, sagt sie.

Und wenn sie vernünftig darüber nachdenkt, dann ist da eigentlich auch nichts. Nichts weiter als ein merkwürdiger Zufall.

Mittags bleibt sie im Klassenzimmer und betrachtet prüfend den Tisch. Sie will sich sicher sein, auch wenn sie nicht weiß, worüber. Schließlich nimmt sie ein Blatt Papier und schreibt auf, was sie sicher weiß und was fast sicher ist.

Auf der »sicheren« Seite steht:

Tiffany Quinn und Nico Cruz haben beide an diesem Tisch gesessen, bevor sie verschwunden sind.
Auf dem fraglichen Tisch stehen neue Worte, die alt aussehen.

Den zweiten Punkt radiert sie aus und setzt ihn auf die »fast sichere« Seite.

Dann radiert sie auch den ersten Punkt aus, wobei sie in ihrer Hast das Papier einreißt, und setzt ihn ebenfalls auf die »fast sichere« Seite. Plötzlich ist sie sich bei überhaupt nichts mehr sicher.

Den ganzen Nachmittag lang brummt ihr der Kopf von Gedanken, die sie nicht kontrollieren kann. Sie möchte schreien, damit sie aufhören. Aber sie kreisen einfach in einer Endlosschleife. Nach einer Weile legt sie einfach den Kopf auf den Tisch und gibt auf.

★ ★ ★

»Kendall!«

»Ja?«

»Zeit, zu gehen.«

Langsam und müde setzt Kendall sich auf. Sie hat keine Ahnung, wovon Ms Hinkler den ganzen Tag geredet hat. Es ist ihr auch egal. Ihr Körper fühl sich an wie Blei. Einen Augenblick lang bleibt sie sitzen und bemerkt, dass alle außer Jacián bereits gegangen sind. Sie steht auf und nimmt ihren Rucksack.

»Alles klar mit dir?«

Sie nickt. »Ich glaube, mich hat gerade eine Menge Zeug eingeholt.« Als sie in Richtung Tür gehen, wirft sie noch einen Blick zurück auf Nicos Pult. »Ich fange an, mir Dinge einzubilden.«

Jacián hält Kendall die Tür auf, doch er sagt nichts.

»Woher wusstest du es?«, fragt sie.

»Was?«

»Dass du heute Morgen aufstehen solltest, damit ich deinen Tisch geraderücken konnte.«

»Oh, das.« Jacián steigt in den Pick-up. »Das war ziemlich offensichtlich, man musste dir ja nur zusehen.«

»Oh.«

»Außerdem hat Marlena es mir erzählt.«

»Was erzählt?« Kendall wird panisch.

»Dass du ihr gesagt hast, du hättest Zwänge.«

»Oh.« Kendall weiß nicht, was sie sagen soll. Sie ist ein wenig sauer, dass Marlena es ausgeplaudert hat, aber wenn sie es recht bedenkt, hat sie es ihr auch nicht verboten.

»Hattest du damit schon immer Probleme?«

Misstrauisch sieht Kendall ihn an. »Warum?«

Er lässt den Motor an, als sie auf der Beifahrerseite einsteigt. »Ich versuche nur, eine Unterhaltung zu führen. Mein Gott, du bist echt ein wenig paranoid, oder? Gehört das zu der Zwangsneurose oder ist das normal?«

»Und schon wieder benimmst du dich wie ein Idiot. Ist das normal für dich?« Sie wendet das Gesicht zum Fenster, damit er nicht das Grinsen sieht, das sich auf ihrem Gesicht ausbreitet. Sie ist froh, dass er normal damit umgeht.

Seufzend fährt er vom Schulparkplatz.

»Kommst du mit zu uns nach Hause?«

»Ja.«

»Hör mal, ich weiß Bescheid über Zwangsstörungen. Bevor wir hierhergekommen sind, war ich zwei Sommer lang Vertrauensschüler in einem Fußballcamp. Es gab eine Menge Leute mit Geheimnissen. Du bist nicht die Einzige auf der Welt damit.«

Kendall schnauft. »Manchmal habe ich aber das Gefühl.«

»Oh, du Arme.«

»Halt die Klappe!«

Er zuckt mit den Achseln.

Sie erreichen Hectors Ranch, parken den Pick-up und steigen aus. Jacián nimmt die Fußbälle.

»Hast du deine Sachen mitgebracht?«

Kendall überlegt. Sie hat sie dabei, aber die Wendung, die ihr Gespräch eben genommen hat, gefällt ihr gar nicht. Doch sie fühlt sich ausgelaugt, und ihr Kopf braucht dringend eine Pause.

»Ja.«

Sie gehen die Verandatreppe hinauf und ins Haus.

»Oben ist ein Badezimmer«, sagt Jacián. »Du kannst aber auch in Marlenas Zimmer gehen. Sie benutzt es sowieso nicht, solange sie nicht hinaufgehen kann.«

Kendall sieht Marlena mit geschlossenen Augen auf dem Sofa liegen. Leise geht sie nach oben und zieht sich um, dann schleicht sie auf Zehenspitzen wieder hinaus, um ihre Freundin nicht zu wecken. Jacián folgt ihr eine Minute später. Schweigend machen sie ihre Dehnübungen. Kendall spürt das Ziehen in ihrem Rücken und den Oberschenkeln und tadelt sich selbst, dass sie in der letzten Zeit überhaupt nicht getanzt hat. *Aber wenn der beste Freund deines Lebens auf einmal verschwindet, vergisst man manchmal vielleicht sogar das Tanzen.* Sie geht in den Spagat und beugt sich über ihr rechtes Knie.

»Hilft dir der Sport?«

Kendall ist abgelenkt. »Bei was?«

»Deiner Zwangsneurose.«

»Ja.«

»Das habe ich mir gedacht. Die Kinder, mit denen ich gearbeitet habe – sie schienen immer so viel … ich weiß nicht … zufriedener, ruhiger, wenn sie den ganzen Tag lang gespielt hatten.«

Seine Art, eine Unterhaltung zu führen, erschreckt Kendall ein wenig. Sie ist skeptisch und versteht nicht, warum er auf einmal so bereitwillig redet, doch sie ist zu erschöpft, um seine Motive zu hinterfragen.

»Es hilft mir auf jeden Fall. Während des Sports, aber auch ein wenig danach.« Kendall beugt sich über das andere Knie. »Ich wünschte, ich könnte das ganze Jahr lang spielen.«

»Warum tust du es nicht?«

Kendall sieht ihn an. »Hm. Vielleicht wegen des Schnees?«

»Oh. Das habe ich vergessen.«

»Ja.«

»Und was machst du, wenn es schneit?«

Unerwartet steigt ihr ein Kloß in die Kehle, als sie daran denkt, wie sie und Nico zum Eisangeln gegangen sind, Schlittschuh laufen waren und in den Bergen Ski gefahren sind. Und wie sie getanzt hat. Ohne Nico.

»Tanzen«, sagt sie. »Theater. Bis jetzt nur einmal, aber ich will es irgendwann wieder machen.«

Sie steht auf, greift nach einem Fußball. Sie schießt ihn weit weg, um ihm nachzujagen und das Gespräch zu beenden, bevor es gefährlich wird. Sie hat keine Lust mehr, zu weinen.

Eine Zeit lang trainiert jeder für sich. Doch heute ist es wesentlich angenehmer als gestern, und schließlich beginnen sie gegeneinander zu spielen. Jacián ist größer, stärker und kann ein wenig schneller laufen, aber Kendall ist ein bisschen schneller darin, die Richtung zu wechseln. Wenn sie an ihm vorbeikommt, hat sie es geschafft.

Das Problem ist, an ihm vorbeizukommen.

Jacián spielt so grob, fast schon brutal. Das macht er immer, und er nimmt keine Rücksicht auf Mädchen — nicht auf Marlena und auch nicht auf Kendall. Das ist ihr schon am ersten Tag aufgefallen, und eigentlich gefällt ihr das. Sie versucht ihn ebenfalls zu Fall zu bringen. Sie darf nicht klein beigeben. Und wenn sie spielt, ist er der Feind. Kendalls Gedanken konzentrieren sich ganz auf ein Ziel: Gewinnen.

Sie bemerkt gar nicht, wie Marlena mit Hector zusammen aus der Tür humpelt. Sie setzen sich auf die Veranda und schauen zu, wie sich Kendall für den Siegesschuss bereit macht. Sie erreicht den Ball vor Jacián, obwohl jeder Muskel in ihrem Körper schreit und zum Zerreißen gespannt ist. Er stellt sich ihr in den Weg, und sie knallt gegen ihn. Ihr Körper prallt ab, und sie landet hart auf dem Rücken. Sie bekommt keine Luft und bleibt einen Moment lang benommen liegen, bevor sie nach Atem ringt. Der verzweifelte Versuch zu atmen, es aber nicht zu können, ist das schrecklichste Gefühl der Welt. Wenigstens ist Jacián auch gestürzt.

Sie rollt sich auf die Seite, und sie liegen keuchend nebeneinander im Gras.

Als sie wieder sprechen kann, stellt Kendall fest: »Du bist scheiße.«

Jacián grinst in den Himmel.

Später geht Kendall zu Hector und Marlena auf die Veranda. Sie sitzt auf der Treppe und trinkt ein riesiges Glas Wasser, während sie ihnen zuhört.

»Fährst du heute in die Stadt, um den alten Mr Greenwood zu besuchen?«, will Marlena wissen.

»Nicht heute. Ich muss mich um einigen Papierkram kümmern.«

»Was sagt er denn dazu, wenn du nicht auftauchst?«

»Ach, das ist schon in Ordnung. Es ist schließlich nicht das erste Mal. Manchmal kommt er auch nicht. Wir sind schon seit Langem gut miteinander befreundet und verstehen uns.«

Kendall dreht sich um.

»Ich finde das süß, dass ihr immer nur zusammensitzt und nie miteinander sprecht, wie ein altes Ehepaar.«

»Ha! Manchmal unterhalten wir uns schon. Ich wusste nicht, dass die ganze Stadt über uns redet.« Er grinst.

»Ich glaube, ich habe den alten Mr Greenwood noch nie mehr als ein paar Worte sagen hören, nur, wenn er uns in der Schule anbrüllt, dass wir aufräumen sollen oder so«, bemerkt Kendall. »Er ist ein wenig griesgrämig. Wie lange kennen Sie ihn denn schon? War er immer so?«

Hector schüttelt den Kopf. »Wir kennen uns schon ewig. Seit wir etwa in eurem Alter waren ... vielleicht sogar ein paar Jahre jünger.« Seine Augen bekommen einen seltsamen Glanz.

»Habt ihr euch hier kennengelernt, Grandpa? Hast du schon immer hier gewohnt?«, fragt Marlena.

»Wir haben uns hier in Montana kennengelernt, ja.« Er wendet sich Kendall zu und erklärt: »Ich wurde in Texas geboren, und meine Eltern haben nur Spanisch gesprochen, daher habe ich erst Englisch gelernt, als ich in die Schule gekommen bin. Sie waren gute Feldarbeiter, und als ich vierzehn war, sind wir eines Sommers hierhergekommen. Ich war ...« Er macht eine Pause. »Ich war kein guter Junge. Ich hatte hier eine Menge Probleme mit den anderen Kindern.«

»Warum?«, will Marlena wissen.

»Weil ... Nun, teilweise, weil ich Mexikaner bin. Hier in Montana gab es nur Indianer und Weiße, aber nicht sehr viele Mexikaner.«

»Was ist passiert?« Kendall dreht sich auf der Treppe um, damit sie sein Gesicht sehen kann.

»Ich habe mich geprügelt. Und meine Eltern konnten das nicht zulassen. Sie mussten jeden Tag lange und hart arbeiten, und ich benahm mich schlecht. Daher haben sie mir einen anderen Platz gesucht, wo ich wohnen sollte.«

Marlena blieb der Mund offen stehen. »Du meinst, bei einer anderen Familie? Bei den Greenwoods? Seid ihr so Freunde geworden?«

»Oh nein, nichts dergleichen.« Hector sieht auf seine Uhr. »Meine Güte, ich muss los. Ich muss für Jacián schnell noch ein paar Rechnungen zusammenstellen. Er muss heute einige Lieferungen machen. Kendall, sollen wir dich nach Hause bringen?« Langsam steht er auf.

»Meine Mutter holt mich um sechs ab, wenn es okay ist.«

»Seid ihr nicht dabei, die ganzen leckeren Kartoffeln zu ernten? Es scheint die richtige Zeit dafür zu sein.«

»Ja.« Kendall nickt schuldbewusst. »Meine Eltern haben mir sozusagen freigegeben wegen Nico. Sie finden, es sei gut, wenn ich mehr Zeit damit verbringe, mit meinen Freunden zu sprechen. Was auch immer das heißen mag.«

»Das heißt, dass du nicht allein auf einem Traktor sitzt und vor dich hin brütest«, erklärt Hector.

»Wie auch immer, es ist praktisch der erste September, den ich von der Ernte befreit bin, seit ich laufen kann«, erzählt Kendall. »Trotzdem … ich hätte lieber Nico wieder.«

»Es ist sehr schwer für einen so jungen Menschen, einen Freund zu verlieren. Ich habe das auch durchgemacht«, sagt Hector. Er schüttelt den Kopf und geht ins Haus. »Sei vorsichtig da draußen, Kendall. Es würde mich krank machen, wenn dir auch noch etwas zustoßen würde, oder irgendjemandem sonst.«

Als Kendalls Mutter sie abholt, reicht sie ihrer Tochter einen Brief.

»Von der Juilliard«, sagt sie.

Kendall starrt den Brief an, und ihr Magen verkrampft sich. Sie nimmt ihn in die Hände und ist sich nicht sicher, wie sie sich fühlen soll. Kurzentschlossen reißt sie den Umschlag auf, nimmt das gefaltete Blatt heraus und klappt es auf.

Einen Augenblick lang liest sie mit angehaltenem Atem,

dann überfliegt sie den Rest des Briefes und lässt ihn in den Schoß fallen.

»Es ist eine Absage.«

Kendall sieht aus dem Fenster auf die fernen Berge.

Mrs Fletcher drückt ihr die Hand und fährt nach Hause.

Damit haben sie gerechnet. Sie haben es erwartet. Und um ehrlich zu sein, hat Kendall nicht mehr viel daran gedacht, seit Nico verschwunden ist. Es scheint keine Rolle mehr zu spielen. Nichts scheint mehr eine Rolle zu spielen.

Trotzdem fragt sie sich, warum es dann so wehtut.

An diesem Abend prüft Kendall alle Türen und Fenster sechsmal, bevor sie ins Bett geht. Sie ist erschöpft, aber in ihrem Kopf beginnt es wieder zu arbeiten und sie ruft sich alles ins Gedächtnis, was an diesem Tag geschehen ist, um den Brief von der Juilliard so gut wie möglich zu verdrängen. Aber es spielt keine Rolle, denn ihr Kopf bringt sie zu den früheren Ereignissen dieses Tages.

Sie kann nur an eines denken.

Schultische.

Wir

Nur ein leiser Hauch von Wärme heute.

Kalt, so kalt. Ächzend schleifen unsere gusseisernen
Anker über den Boden. In etlichen Stunden der
Anstrengung sind Wir auf der Suche nach Wärme
und Leben. Einmal stoßen Wir an ein seelenloses
Wir, ein andermal drängen Wir den Toten von
Unserem Weg ab in den leeren Raum. Wir atmen,
leiden, rasten und bemühen Uns erneut. Wir
machen Unseren Zug. Wir belauern die nächste
Seele zum Tausch für einen von Uns.

15

Als Kendall und Jacián am nächsten Tag in die Schule kommen, spürt sie es sofort, und ihr läuft ein Schauer über den Rücken – etwas stimmt nicht. Sie geht ihre Rituale durch und richtet die Tische aus. Als sie in den Bereich der Zwölftklässler kommt, bleibt sie stehen.

»Die Bänke sind vertauscht«, stellt sie fest. »Die von Nico und Travis. Warst du das?«

Jacián runzelt die Stirn. »Du warst doch die ganze Zeit bei mir. Hast du gesehen, dass ich sie vertauscht habe?«

Kendall zerrt Travis' Pult aus dem Weg und schiebt das von Nico wieder an seinen Platz.

»Wer könnte das gewesen sein?« Sie fährt sich gestresst mit den Fingern durch die Haare. »Das ist Nicos Tisch. Und der bleibt neben meinem stehen. Das ist nicht witzig!«

»Wahrscheinlich hat der Hausmeister sie beim Saubermachen vertauscht. Ist doch keine große Sache.« Jacián widmet sich wieder seinem Buch. »Ich würde ja fragen, woher du überhaupt weißt, dass das Nicos Tisch ist, aber ich fürchte mich ein wenig vor der Antwort.«

»Ich kenne alle Tische«, erklärt Kendall, die gerade den von Travis geraderückt. »Ich habe sie …«

»Nein!« Jacián hebt die Hand. »Was habe ich gerade gesagt?«

Kendall bricht abrupt ab. Während die anderen Schüler

eintreffen, sieht sie sich die Stelle auf Nicos Pult mit der neuen/alten Kritzelei von gestern an. Sie ist immer noch da, wie vorher, und sieht aus, als wäre sie schon seit Jahren dort. Sie schüttelt den Kopf. Vielleicht hat sie es vorher übersehen oder es vergessen. Es war ja nicht so, als sei sie die letzten Wochen sehr zuverlässig gewesen. Und vielleicht hat sie es dieses Mal anders wahrgenommen, weil dort *Hilfe* stand. Es war fast, als würde Nico nach ihr rufen.

Doch wie so viele andere Gedanken in ihrem Kopf ist auch dieser einfach lächerlich.

Ungefähr nach dem halben Tag, als sie eigentlich eine Buchbesprechung schreiben soll, hält sie auf einmal inne und legt den Stift weg. Es trifft sie wie ein Schlag. Sie wird nicht auf die Juilliard gehen.

Sie hat keinen Grund, je wieder zu tanzen. Außerdem hat sie keinen Grund, je wieder Fußball zu spielen. Sie hat keinen Grund, irgendetwas zu tun, ohne diese Dinge. Ohne Nico. Sie lässt ihren Kopf auf den Tisch sinken und fühlt sich plötzlich völlig erschöpft. Auf ihren Block kritzelt sie »Verloren«, wobei der letzte Buchstabe gefährlich am rechten Rand herunterhängt.

Jacián wirft einen Blick auf ihren Block, runzelt die Stirn, sagt aber nichts.

★★★

Die Tage ziehen für Kendall einer nach dem anderen in Schwarz-Weiß vorbei. Sie schleppt sich durch eine todlangweilige Routine von Schule, Farmarbeit, Hausaufgaben und Schlaf. Schweigend fährt sie mit Jacián und Marlena im Pick-up zur Schule und wieder nach Hause, macht gelegentlich Small Talk, an den sie sich hinterher nicht erinnern kann. Sie sitzt ruhig an ihrem Pult, bringt den Tag irgendwie hinter sich und tut, was ihre Zwänge von ihr verlangen, nicht mehr und nicht weniger.

Seit Marlena wieder in der Schule ist, hören auch die Besuche auf Hectors Ranch auf. Marlena ist jetzt mehr mit den Zehntklässlern zusammen, die sie jetzt erst richtig kennenlernen und ihr helfen, wenn es nötig ist.

Auch die Fußballspiele mit Jacián hören auf. Kendalls Eltern brauchen sie dringend auf der Farm. Es ist mitten in der Erntezeit, und Kendall muss mitarbeiten. Jeden Tag steht sie nach der Schule stundenlang an einem Fließband, bis zu den Ellbogen in eiskaltem Wasser, um Blätter und schlechte Kartoffeln auszusortieren. Und sie kann nur nachdenken.

Doch für Kendall spielt das alles keine Rolle mehr. Nico ist fort. Die Juilliard ist kein Ziel mehr. Für ihre beiden liebsten Dinge gibt es keine Zukunft mehr – beide Träume sind innerhalb weniger Tage zerplatzt. Worauf soll sie sich jetzt noch freuen? Die Wahrheit ist, dass Kendall nach außen hin vielleicht stark ist. Sie kann einstecken, und sie kann sich wehren. Aber im Inneren, in ihrem furchtsamen Herzen und ihrem dummen, wirren Kopf, weiß Kendall, dass sie für immer in Cryer's Cross bleiben wird. Sie wird auf der Farm arbeiten, bis sie sie eines Tages erben wird. Wahrscheinlich wird sie jemanden wie Eli Greenwood oder Travis Shank heiraten, und ihre Kinder werden in einem zu kleinen Fußballteam spielen, bis sie mit der Schule fertig sind.

Vielleicht auch nicht. Vielleicht überrascht sie die Stadt damit, dass sie Single bleibt, ein oder zwei Babys adoptiert und sich auf der Farm versteckt.

Und wartet.

Darauf, dass Nico zurückkommt.

Wir

*Enttäuscht. Unsere Energie verschwendet, nur um
beiseitegeschoben zu werden. Der Zorn! Oh, ...
aber die Berührung ... sie ist da. Sie ist nahe, in
Unserer Reichweite. Wir müssen stärker werden.
Unser nächstes Opfer von weither zu uns ziehen.*

*Wir brodeln, Tag um Tag, und hüten die Uns
verbliebenen Kräfte.*

Und Wir warten.

16

Mitte Oktober steckt Kendall in einer Schleife deprimierender Gedanken fest, die sie nicht loslassen wollen. Ohne ein Ziel, ohne ihren besten Freund ist sie verloren, verloren in tausend Hektar Kartoffelfeldern. Alles ist bedeutungslos, planlos. Nichts ergibt Sinn. Alles, was sie tun kann, ist weitermachen. Mit der Arbeit fertig werden, damit sie am nächsten Tag aufstehen und wieder anfangen kann. Vor elf ins Bett gehen, damit das Ausbleiben des Anrufs nicht so schmerzt. Früh zur Schule gehen, damit sie tun kann, was zu tun ist; ihre Neurosen diktieren ihren Tagesablauf.

Jeden Abend steht sie oben am Fenster und sieht zur Cruz-Farm hinüber. Warum, weiß sie nicht. Es ist nur … der Erinnerung zuliebe. Doch jeden Abend bietet sich ihr ein düsterer, einsamer Ausblick. »Ich sage auch allen, dass wir zusammen sind, wenn du nur zurückkommst«, flüstert sie, während das Fenster von ihrem Atem beschlägt. »Ich verspreche es.«

In dieser Nacht sieht sie, wie ein Auto langsam die Schotterstraße entlangfährt und seine Bremslichter flackern, als es den Schlaglöchern ausweicht. Nachdem es verschwunden ist, ist die Welt wieder dunkel, abgesehen von den Sternen und dem Herbstmond, der sein oranges Licht über die Felder leuchten lässt.

»Ich weiß, du kannst diesen Mond auch sehen, Nico«, flüstert sie. »Irgendwo.«

Gerade als sie sich vom Fenster abwenden will, nimmt sie aus dem Augenwinkel eine Bewegung in der Mitte der Einfahrt wahr. Ihr Herz scheint auszusetzen. Könnte das Nico sein? Angestrengt starrt sie hinaus. Das kann nicht sein. Wie benommen geht sie die Treppe hinunter und sagt sich, dass er es nicht sein kann. Das hätte ihr jemand gesagt. Als sie die Tür erreicht, hat sie bereits Angst. Wenn es nicht Nico ist, wer steht dann um diese Uhrzeit in ihrer Auffahrt?

Kurz bevor sie aus der Tür stürzen will, kommt sie zur Besinnung. Vielleicht ist es der Entführer, der sie holen will? Sie holt tief Luft und schiebt vorsichtig den Vorhang am Fenster neben der Haustür beiseite. Sie späht hinaus, und ihre Augen gewöhnen sich nur sehr langsam an die Dunkelheit.

Doch da ist niemand. Niemand, den sie sehen kann, nicht bei so vielen Möglichkeiten, sich zu verstecken: hohes Gras, Bäume, Scheunen, Traktoren, hinter denen man sich verbergen kann. Sie wirbelt herum und läuft wieder zurück zum oberen Fenster. Und von dort aus sieht sie eine Gestalt – sie ist sicher, es ist ein Mann –, der quer über das Feld davonläuft.

Sie rast zum Telefon und wählt Eli Greenwoods Nummer. Sheriff Greenwood nimmt ab.

»Hallo?«

»Ich habe gerade einen Mann gesehen, der unser Haus beobachtet hat!«, ruft sie atemlos.

»Mrs Fletcher?«

»Nein, hier ist Kendall. Vor einer Minute hat ein Mann mitten in unserer Auffahrt gestanden, und ich habe erst gedacht, es sei Nico, aber dann hat er sich umgedreht und ist weggerannt, als ich nach unten gegangen bin, um nachzusehen.«

Sheriff Greenwood bleibt ruhig. »Ich komme hinaus. Kannst du mir irgendeine Beschreibung geben? Glaubst du, dass es wirklich Nico gewesen ist?«

Kendall zögert. »Das habe ich zuerst, aber wahrscheinlich nur, weil ich gerade an ihn gedacht habe. Wenn es Nico gewesen wäre, wäre er ja wohl hereingekommen. Deshalb kann er es nicht gewesen sein.« *Oder doch?* Sie ist völlig durcheinander.

»Ich werde nachsehen. Könnte sein, dass nur jemand spazieren geht. Schließ gut ab, ja? Sind deine Eltern zu Hause?«

»Ja, sie schlafen.«

»Versuch auch etwas Schlaf zu bekommen, hörst du?«

»Ja, Sir.«

Sie legen auf.

Kendall überprüft noch einmal alle Schlösser und Fenster, bevor sie wieder nach oben in ihr Zimmer geht. Sie legt sich ins Bett, obwohl sie weiß, dass sie sowieso nicht schlafen kann. Sie überlegt, ob sie ihre Eltern wecken soll, aber mitten in der Erntezeit sind sie abends total erledigt. Außerdem, was sollen sie schon tun? Der Kerl ist weggerannt.

Ihr Herz hämmert wie wild, und sie kann nicht anders, als immer wieder aufzustehen und ihr Fenster zu überprüfen. Denn so wie ihr Gehirn arbeitet, wird, falls jemand einbrechen sollte, es deshalb geschehen, weil sie nicht oft genug nachgesehen hat.

Als sie endlich in einen unruhigen Schlaf fällt, träumt sie von Nico.

Der sie entführt und ersticht.

17

Am Morgen verläuft die Fahrt zur Schule in unbehaglichem Schweigen. Nachdem sie ihre Schulrituale durchgeführt hat, zieht Jacián sie beiseite.

»Kann ich dich kurz sprechen?«

Er sieht beunruhigt aus.

»Sicher«, antwortet Kendall wenig begeistert. Sie ist müde und hat panische Angst vor dem Kidnapper, der frei herumläuft.

Sie gehen hinaus, hinter das Schulgebäude, während die anderen Schüler ankommen.

»Was ist denn so wichtig, dass du es nicht im Klassenzimmer sagen kannst?«

Jacián presst die Lippen aufeinander. »Hör mal. Ich weiß nicht, wie ich das sagen soll, ohne dass du völlig ausflippst. Darf ich dich einfach bitten, mir zuzuhören, bis ich fertig bin?«

Kendall runzelt unruhig die Stirn. »Was? Warum sollte ich ausflippen?«

»Letzte Nacht ... das war ich in eurer Auffahrt. Sheriff Greenwood hat gesagt, ich solle es dir selbst erklären und er würde dich heute Abend noch anrufen.«

»Was? Warum hast du mich beobachtet? Bist du total bescheuert?!«

»Bitte!«

Kendall schweigt, doch ihr Gehirn durchzucken neue, furchtbare Gedankenblitze.

»Ich bin spazieren gegangen, weil ich nicht schlafen konnte und einen echt miesen Abend hatte. Der Himmel sah fantastisch aus, und, na ja, ich bin an eurem Haus vorbeigegangen und habe von der Straße aus oben überall Licht brennen sehen. Auf dem Rückweg war es dunkler, aber ich habe deine Silhouette oben am Fenster stehen sehen. Und, ich weiß nicht ... ich bin aus irgendeinem irrationalen Grund einfach eure Einfahrt entlanggegangen. Ich habe mich mies gefühlt, und ich dachte, dir ginge es vielleicht genauso und dass du vielleicht ... ich weiß auch nicht ... vielleicht reden wolltest oder so. Es war dumm.« Seine Augen blicken starr in Richtung Parkplatz.

Kendall sieht ihn an.

»Dann habe ich gesehen, wie du verschwunden bist, und bin irgendwie wieder zur Vernunft gekommen. Mir wurde klar, wie spät es war und dass du mich sowieso nicht leiden kannst, also warum zum Teufel würdest du mit mir reden wollen. Ich hab Schiss bekommen und bin einfach wieder abgehauen. Ich schwöre, das ist die Wahrheit.« Er presst die Kiefer aufeinander. »Fünf Minuten später hat mich Greenwood aufgelesen und mich über eine Stunde lang verhört, bis er mir endlich geglaubt hat und mich nach Hause gefahren hat. Er wollte, dass ich es dir selbst erzähle. Und dass er dich nach der Schule anruft, um zu fragen, ob ich es getan habe. Und dass ...« Er hält inne. »Und dass du mich anzeigen kannst, wenn du willst.«

Kendall weiß nicht, was sie sagen soll.

Jacián steckt eine Hand in die Hosentasche und fährt sich mit der anderen durch die Haare, die daraufhin wild abstehen.

»Ich habe nur gedacht, dass du leidest. Ich meine, so

wie du dich in den letzten Wochen benommen hast ...
Und ich habe gedacht ... Na ja. Scheiße. Vergiss es. Es
war blöd.« Er seufzt. »Es tut mir leid, Kendall, okay? Ich
wollte dich nicht erschrecken. Verdammt.«

Kendall blickt zu Boden. Geschockt. Ein wenig verlegen, aber auch wütend. Aber das Ganze hat auch etwas
Trauriges ... weil es doch nicht Nico war, dort draußen,
selbst nach ihrem Albtraum. Dennoch, sie explodiert
nicht so, wie sie es am liebsten getan hätte, nachdem er
fertig ist. Sie dreht sich einfach um und sagt: »Okay.«

Dann zuckt sie mit den Schultern, geht zurück in die
Schule und lässt ihn stehen.

Einen Augenblick später setzt er sich neben sie an seinen Platz und starrt geradeaus.

Sie reden den ganzen Tag nicht miteinander.

Kendall sieht nachdenklich Nicos Tisch an. Sie denkt
daran, dass Tiffany Quinn dort gesessen hat und verschwunden ist. Und dass Nico dort gesessen hat und verschwunden ist. Und jetzt kann sie nur noch daran denken.
Was würde passieren, wenn sie dort sitzen würde? Vielleicht wäre es besser, zu verschwinden. Und zumindest
wäre dort zu sitzen so in etwa, wie eines von Nicos Hem-
den zu tragen. Es ist vielleicht ein Trost, an dem Platz zu
sitzen, wo er saß. Vielleicht hilft es ihr, es zu überwinden.

Vielleicht setzt sie sich morgen dorthin.

Auf dem Heimweg ist die Atmosphäre im Pick-up angespannt. Marlena, die nichts von dem Vorfall weiß, erzählt, dass sie es gar nicht mehr erwarten kann, ihren Gips
loszuwerden, während Jacián und Kendall schweigend
geradeaus sehen, bis sie vor Kendalls Haus ankommen.

»Vielen Dank«, murmelt sie wie üblich. Als sie die
Tür zuschlägt, sieht sie die Furcht in Jaciáns Augen. Er

schluckt schwer, sein Adamsapfel zuckt, dann sieht er weg, während Marlena ihr durch das Fenster zuwinkt, ohne ihr Geplauder zu unterbrechen. Kendall bleibt kurz verwundert stehen und geht dann zum Haus. Erst als sie draußen die Kartoffeln erntet, wird ihr klar, warum er so verängstigt ausgesehen hat.

Er kommt aus einer Großstadt, einem Ort, wo Leute Autos stehlen, wenn man es ihnen nicht zu schwer macht. Er glaubt wirklich, dass sie und ihre Familie ihn anzeigen wollen.

Einen Augenblick lang hält Kendall in ihrer Arbeit inne und lacht zum ersten Mal seit Wochen fast laut auf. Armer Jacián. Wahrscheinlich hat er sich den ganzen Tag darüber Sorgen gemacht.

Sie muss daran denken, was er gesagt hat. Dass er glaubt, sie würde leiden. Tränen steigen ihr in die Augen. Sie hat nicht gewusst, dass unter der ganzen Wut tatsächlich ein Herz in seiner Brust schlägt. Doch der Einzige, der ihren Schmerz durch ein Gespräch lindern könnte, ist Nico.

Auf ihrem Weg nach Hause erzählt Kendall ihrer Mutter, was in der vorigen Nacht passiert ist.

»Du hättest mich wecken sollen«, sagt Mrs Fletcher mit strengem Blick.

»Es war nicht so schlimm«, entgegnet Kendall, und heute, bei Tageslicht, wo sie die Wahrheit weiß, scheint es tatsächlich nicht so schlimm zu sein. »Und ihr arbeitet so schwer, da wollte ich euch nicht wecken. Wollt ihr Jacián anzeigen?«

»Sei doch nicht albern. Was sollen denn die Leute von uns denken? Das wäre ja schrecklich für den armen Jungen. Nach allem, was er für dich getan hat, indem er dich überall herumfährt.«

Kendall zuckt mit den Achseln, aber es ist beruhigend zu wissen, dass ihre Mutter ihn nicht für einen schlechten Kerl hält.

Als Sheriff Greenwood anruft, erzählt er dasselbe wie Jacián, nur nicht so ausführlich.

»Wollen deine Eltern ihn anzeigen? Dann muss ich mit ihnen sprechen«, sagt er. »Ich kann mir das zwar nicht vorstellen, aber ihr habt das Recht dazu.«

»Nein, ich habe mit meiner Mutter darüber gesprochen. Wir wollen das nicht.«

»Gut, ich werde es ihm mitteilen. Es wird ihn freuen. Ich sage ihm, er soll sich nachts von den Einfahrten anderer Leute fernhalten.«

»Okay. Danke.«

Sie legen auf.

Mrs Fletcher lächelt Kendall aus der Küche zu, wo sie den Eintopf vom Vortag in der Mikrowelle aufwärmt.

»Nun, Kendall.«

Kendall seufzt. »Ja?«

»Hast du über andere Colleges nachgedacht?«

Sie lässt den Kopf in die Hände sinken.

»Ich bin viel zu müde und zu hungrig für so ein Gespräch. Können wir ein andermal darüber reden?«

Mrs Fletcher rührt den Eintopf um.

»Ich mache mir ein wenig Sorgen um dich.«

»Mir geht es gut. Ich … ich versuche nur, darüber hinwegzukommen.«

Mrs Fletcher sieht Kendall lange an.

»Na gut. Das Leben wird in ein paar Wochen, wenn die Ernte eingebracht ist, wieder normal sein. Dann reden wir über die Zukunft.«

Kendall antwortet nicht. Normal? Ohne Nico kann das Leben gar nicht wieder normal werden.

Wir

Mit der Zeit werden Wir stärker. Wir sammeln
Unsere Kraft. Schmecken die Nähe des Lebens.

Die Zeit wird kommen. Bald. Wir bemühen Uns,
Unseren unsichtbaren Griff über die raue Oberfläche
hinaus zu erstrecken und halten die Schreie von
fünfzig Jahren zurück.

18

Den ganzen Morgen starrt Kendall mit einem flauen Gefühl im Magen auf Nicos Platz. Sie hat Angst, sich dorthin zu setzen. Und ist doch fast gezwungen, es zu probieren. Sie versucht, über ihre Furcht zu lachen. Es war nur ein dummer Zufall. Wenn sie es laut sagt, ist es lächerlich. Niemand würde glauben, dass ein Tisch etwas mit dem Verschwinden der beiden zu tun hat. Es ist absurd.

Dennoch schwirrt ihr der Gedanke im Kopf herum. Sie sollte sich dort hinsetzen, um zu beweisen, dass es nicht am Tisch liegt.

Jacián sitzt neben ihr, ignoriert sie aber demonstrativ. Auf dem Weg zur Schule murmelte er allerdings ein »Danke«, weil sie keine Anzeige erstattet haben. Aber Kendall nimmt ihn gar nicht wahr. Sie legt wie üblich den Kopf auf das Pult, Ms Hinkler wird sie sowieso nicht aufrufen. Seit Nicos Verschwinden hat die Lehrerin Kendall nicht eine einzige direkte Frage gestellt.

Als an diesem kühlen Herbsttag alle in der Mittagspause nach draußen gehen, bleibt Kendall drinnen. Langsam steht sie auf, mit klopfendem Herzen. Sie geht an Nicos Platz und setzt sich langsam hin, schließt die Augen und hält den Atem an. Und dann breitet sie die Arme aus, als wolle sie ihn umarmen.

Nico, denkt sie, *bist du da?*

Sie legt den Kopf auf den Tisch und stößt den Atem aus, versucht, sich zu entspannen und an ihn zu denken. Denkt an die schönen Zeiten mit ihm. Lässt ihr Gehirn von den Erinnerungen überfluten.

Es ist harmlos. Sie ist immer noch im Raum und sitzt an Nicos Platz. Immer noch hier und nicht verschwunden. Nach einer Weile setzt sie sich auf und fährt mit den Fingern über die Tischplatte. Sie liest alle Kritzeleien, wie sie es oft tut, doch aus diesem Blickwinkel scheint es anders. Sie verliert sich in den Worten, die in ihrem Kopf herumwirbeln, und versucht, sie richtig klingen zu lassen, wie ein Gedicht. Ein Durcheinander von Worten, die in den letzten fünfzig Jahren von einem Dutzend Schülern aufgeschrieben wurden.

Sie landet bei dem Hilferuf. Wahrscheinlich von einem gelangweilten Schüler, der die Minuten auf der Uhr langsam verrinnen sieht und auf etwas Tolles wartet, das erst am Ende des Tages geschehen wird.

Bitte.
Rette mich.

Sie fährt die Buchstaben mit den Fingern nach und fragt sich erneut, warum sie ihr früher nicht aufgefallen sind.

Plötzlich hört sie ein Flüstern. *Bitte. Rette mich.* Wie Wind in den Blättern, so schwach, dass Kendall sicher ist, sich verhört zu haben.

Es kribbelt am ganzen Körper, und sie spürt ein Prickeln im Nacken. Schnell zieht sie die Hand weg und sieht sich im Klassenzimmer um.

»Wer ist da?«

Ihr Herz rast. Vorsichtig streckt sie noch einmal die

Hand nach den Worten aus und lässt den Zeigefinger darübergleiten. In ihrem Körper pulsiert das Adrenalin, als stände sie unter Drogen, und sie schließt die Augen. Wieder hört sie das zärtliche Flüstern an ihrem Ohr, dringender dieses Mal.

Bitte! Rette Mich!

Kendall ist fasziniert. Das euphorische Gefühl ist überwältigend, als sei sie zu schnell und zu weit gelaufen, aber sie will immer noch mehr. Sie lehnt sich über die Worte, fährt die Buchstaben mit dem Finger nach und hört in ihrem Ohr das Flüstern, immer wieder.

Sobald sie ihren Finger wegnimmt, verebbt das Hochgefühl langsam. Einen Augenblick lang bleibt sie still sitzen, während das Flüstern immer leiser wird. Als es still wird, öffnet sie die Augen, und schlagartig wird ihr klar, warum das Flüstern so schön war.

Es war Nicos Stimme.

Augenblicklich schlägt Kendalls Paranoia zu. Sie bekommt Angst und kann gar nicht schnell genug vom Tisch aufstehen. Beinahe hätte sie ihn in ihrer Hast, davon wegzukommen, umgeworfen und stößt dabei die Bücher auf ihrem Pult zu Boden. In diesem Moment kehren die Schüler von der Mittagspause zurück.

»Was zum Teufel war das?«, murmelt sie atemlos, während sie ihre Bücher einsammelt. Ihr Kopf schreit sie an, wegzulaufen, fort von dem wunderbaren Bösen.

Sie weiß, was auch immer es war, es war nicht real. Es kann nicht real sein. Es muss irgendwie an der Trauer liegen, dass man die Stimme eines Verstorbenen hören kann und glaubt, dass er es wirklich ist. Doch was eben geschehen ist, war einfach so stark. Als Jacián hereinkommt und sich setzt, versucht sie zu Atem zu kommen.

Kendall lässt sich mit immer noch klopfendem Herzen auf ihren Stuhl fallen und versucht zu verstehen, was eben passiert ist. Sie weiß, dass es nur an ihren Gefühlen, an ihrer Trauer liegen kann. Ihre Emotionen haben sie überwältigt und sie in die Irre geführt. Sie haben sie daran erinnert, wie gut es sich angefühlt hat, mit Nico zusammen zu sein.

»*So* schön war es nie«, murmelt sie. In ihren Schläfen hämmert es.

»Was?«, erkundigt sich Jacián.

Erschrocken wendet sich Kendall ihm zu. In seinen braunen Augen blinken gelbe Tupfen, und seine Augenbrauen sind besorgt zusammengezogen.

»Nichts«, erwidert sie. »Ich … habe nur laut gedacht.«

Jacián sieht sie an.

»Du hast laut gedacht?«

»Habe ich doch gesagt.«

Achselzuckend nimmt er seinen Block aus dem Rucksack.

»Also«, sagt er, »wenn du mit diesen Kartoffeln fertig bist, könnte ich wirklich einen Fußballpartner gebrauchen. Wenn du nicht immer noch böse auf mich bist. Ich meine, du kannst jederzeit mit zu uns kommen.«

In Kendalls Kopf summt es immer noch. Sie rückt von Nicos Tisch weiter zu Jacián hin.

»Ich bin viel zu müde, um auch nur ans Spielen zu denken.«

»Das liegt daran, dass du nicht spielst.«

»Welchen Grund habe ich denn, zu spielen?«

Jacián blickt sie lange an. Doch dann schüttelt er nur leicht den Kopf und sieht wieder nach vorne.

Schweigend warten sie darauf, dass Ms Hinkler den Nachmittagsunterricht beginnt. Die nächsten drei Stunden kann Kendall nicht aufhören, daran zu denken, was mit dem Tisch passiert ist.

Und dass sie Nicos Stimme gehört hat.

Am Abend hat Kendall sich das Geschehene rational erklärt. Ihre Trauer hat ihrem Gehirn einen Streich gespielt. Natürlich war ihre Verbindung zu Nico stark, sie waren ja gewissermaßen wie Zwillinge, so, wie sie zusammen aufgewachsen sind und immer zusammen waren. Natürlich wird sie gelegentlich denken, dass sie seine Stimme hören kann. Das ist zwar ein wenig gruselig, aber völlig normal. Völlig erklärbar. Und sehr traurig.

Sie fühlt sich nur so einsam.

Sie liegt im Bett, hat die Fenster sechsmal überprüft, und der Mond scheint durch die dünnen weißen Vorhänge. Sie ist so einsam, dass ihre Arme schmerzen, weil sie niemanden umarmen können.

Wir

Zu viel!

Wir ziehen uns zurück, saugen Unser hypnotisches
Gift auf, doch es ist zu spät. Die Hitze, das Leben
ist fort. Zu stark, zu verzweifelt. Und du ... du
willst nicht? Du bist nicht formbar? Wir fluchen
jetzt im dunklen, ruhigen Raum. Unsere einzige
Möglichkeit ist, Uns zu bewegen.

Wir stöhnen und ächzen, schleppen uns voran.
Unsere aufgebaute Stärke schwindet mit jeder
Bewegung.

Wir haben keine andere Wahl.

19

Am nächsten Morgen, bei strömendem Regen, kommt er allein.

»Wo ist Marlena?«, fragt Kendall, als sie einsteigt.

Jacián kaut auf einem Zahnstocher und blinzelt mit seinen dunklen Augen durch die Regenschlieren, die der Scheibenwischer hin- und herschiebt. Er legt den Gang ein.

»Bozeman. Sie wird heute vom Arzt untersucht. Der Gips kommt runter.«

»Oh, das ist gut. Cool.«

»Sie wird aber immer noch ein paar Wochen lang so eine Stiefelschiene tragen müssen.«

»Iih. Grässlich. Das ist ein ernsthafter Mode-Notfall.«

Jacián sieht sie lachend an. »Meine Eltern und mein Großvater würden dich und deine Familie gerne am Sonntag zum Feiern einladen. Marlena wird sechzehn. Meinst du, ihr habt Zeit?«

»Nur wir?«

»Nein. Die Greenwoods kommen auch und Marlenas neue Freunde aus der Zehnten. Und ein paar andere. Ich weiß es nicht genau. Mein Großvater wird deine Eltern anrufen, aber ich wollte es dir schon mal sagen.« An der Kreuzung in der Stadt wird er langsamer und schaut in den Regen. »Vielleicht können wir mit Eli und ein paar anderen ein Übungsspiel machen, wenn sie kommen.«

Wieder sieht er sie an, doch dieses Mal sind seine Augen ernst.

Kendall lächelt halb.

»Ich habe heute meine Sachen mitgebracht«, erklärt sie und tätschelt ihren Rucksack. »Mum hat gesagt, ich würde zu viel Trübsal blasen, und hat mir freigegeben. Ich habe sie eingepackt, bevor ich hinausgeguckt und dieses Mistwetter gesehen habe.«

»Tatsächlich?« Er klingt überrascht. Erfreut. »Ein wenig Regen schadet nichts«, entgegnet er und lächelt flüchtig. Er biegt auf den Parkplatz ein. »Sag mir Bescheid wegen Sonntag. Zwei Uhr. Oder sag es Marlena, wie du willst.«

»Das mache ich.«

Er schaltet den Motor aus, und von ihrem Atem beschlägt die Scheibe. Eine Minute lang sitzen sie schweigend da und sehen in den Regen hinaus, doch er lässt nicht nach. Kendall blickt zu Jacián rüber.

»Fertig?«

Er nickt. Sie sprinten über den schlammigen Parkplatz zum Schulgebäude, während das schmutzige Wasser bei jedem Schritt in alle Richtungen spritzt.

»Hat man hier eigentlich schon mal was von Beton gehört?«, fragt Jacián mit einem angewiderten Blick auf seine Jeans. Sie stampfen mit den Füßen auf, bevor sie hineingehen. »Oder Asphalt. Das geht auch. Damit kann man Straßen machen und sogar Parkplätze.«

»Halt die Klappe.«

Er betritt das Klassenzimmer zuerst, bleibt dann aber stehen. »Wie ist das, musst du zuerst hineingehen?«

»Nein.« Sie mustert ihn misstrauisch, um zu sehen, ob er sich über sie lustig macht, doch er scheint es ernst zu meinen.

»Ich frage ja nur. Im Lager gab es einen Jungen, der immer Erster sein musste. Er hat alle damit genervt, weil er immer und überall geschrien hat: ›Ich zuerst, ich zuerst!‹ Alle waren gemein zu ihm, weil sie glaubten, er wolle sich nur immer überall vordrängeln. Sie haben es nicht verstanden.«

»Es ist für jeden anders.« Kendall schüttelt den Regen aus dem Haar und beginnt mit ihren Ritualen.

»He, Kendall?«, fragt Jacián einen Augenblick später.

»Ja?«

»Ich bin mir nicht sicher, aber ich glaube, Nicos Pult wurde schon wieder verschoben.«

Kendalls Magen macht einen Sprung.

»Im Ernst?« Sie macht die Vorhänge fertig und geht zu Jacián hinüber. »Stimmt.«

Sie schaut sich um, um herauszufinden, mit welchem Tisch er vertauscht worden ist.

»Was zum Teufel …?«, flüstert sie. »Das ist doch nicht normal.«

Sie sieht Jacián an. »Du hältst es wahrscheinlich für blöd, dass ich mich daüber aufrege, aber so etwas ist noch nie passiert. Die Tische werden nur beim Großputz in den Sommerferien rausgebracht, sodass sie im Herbst alle durcheinander sind. Aber den Rest des Jahres werden sie nie bewegt. Nie.« Kendall lässt ihren Rucksack fallen und sucht den Raum hektisch nach Nicos Pult ab. Schließlich findet sie es in der Abteilung der Zehntklässler und zerrt es zurück an seinen Platz, während Jacián die anderen aus dem Weg schiebt.

Er berührt sie am Arm.

»Ich finde es nicht blöd, wenn du willst, dass Nicos Tisch neben deinem steht und darauf wartet, dass er zurückkommt.«

Kendall hält inne und schluckt schwer. Sie versucht zu entscheiden, ob sie immer noch glaubt, dass er zurückkommt.

Jacián nimmt seine Hand von ihrem Arm und geht aus dem Weg, damit sie den Tisch wieder an seinen angestammten Platz stellen kann. Dann hebt er den anderen hoch und bringt ihn schnell an den leeren Platz.

Sie sieht ihn immer noch an, obwohl er ihren Blick nicht erwidert.

»Danke«, sagt sie. Dummerweise treten ihr heiße Tränen in die Augen. »Das ist wahrscheinlich das Netteste, was mir irgendjemand in den ganzen letzten Wochen gesagt hat.«

»Na ja, das ist echt scheiße.«

Kendall reißt sich zusammen und runzelt dann die Stirn.

»Warum bist du so nett zu mir?« Sie setzt sich hin und dreht sich zur Seite, um ihn anzusehen. »Hm?«

Lange sieht er ihr in die Augen, und sie entdeckt etwas in seinem Blick: Einsamkeit ... oder Mitleid ... etwas unglaublich Menschliches, das sie noch nie zuvor bemerkt hat.

»Ich will nur Fußball spielen«, meint er leichthin. »Da habe ich mir gedacht, es wäre Zeit, dich mit meiner charismatischen Persönlichkeit zu bestechen.«

»Oh.« Kendalls Stimme klingt hohl, und sie fragt sich, wie enttäuscht sie darüber ist, dass er wahrscheinlich die Wahrheit gesagt hat. Sie hätte wissen sollen, dass er etwas Bestimmtes will.

Wegen des Regens stürmen die Schüler explosionsartig die Schule. Kendall wendet sich ab, legt den Kopf auf ihren Tisch und sieht Nicos an. Sie bemerkt nicht, wie Jacián auf seinem Platz zusammensackt, wie er die Augen schließt und den Kopf schüttelt, und sie hört auch nicht, wie er leise flucht.

Den ganzen Tag über regnet es immer wieder. Kendall reizt es, sich an Nicos Tisch zu setzen, aber das will sie nicht, wenn alle dabei sind. Wenn es regnet, bleiben die Schüler drinnen und essen an ihren Plätzen, also keine Chance.

Nach der Schule hat der Regen aufgehört, und Jacián und Kendall gehen vorsichtig zum Pick-up. Sie versuchen, nicht zu viel Matsch mit ins Innere zu tragen, aber das ist aussichtslos. Es ist kalt.

Jacián lässt den Motor an, legt den Arm über die Lehne des Beifahrersitzes und blickt zum Rückwärtsfahren über die Schulter. Seine Finger streifen Kendalls Haar. Sie rückt näher an ihre Tür.

»Wohin?«, fragt er.

Sie sieht ihn an. »Zu feige, um bei dem Wetter zu spielen?«

»Nein.«

»Na gut. Dann lass uns spielen.«

Der Wagen bewegt sich nicht. Sein Mundwinkel zuckt. »Ich habe das nicht so gemeint, weißt du? Dass ich nur nett bin, damit du mit mir spielst. Es war nur ein Scherz.«

Kendall beißt sich auf die Lippe. Sie spürt seinen Blick und ist sich nicht sicher, was das brennende Gefühl in ihren Eingeweiden soll. Vielleicht liegt es nur daran, dass das taube Gefühl in ihr endlich ein wenig nachlässt.

Als klar ist, dass Kendall nicht antworten wird, fährt Jacián rückwärts vom Parkplatz und langsam über die schlammige Straße zu Hectors Ranch, wobei er versucht, neuen Schlaglöchern auszuweichen.

Im leeren Haus ziehen sie sich um und treffen sich auf dem weichen, feuchten Gras. Kendall ist froh, dass sie ein dickes Sweatshirt mitgebracht hat, auch wenn das nach dem ersten Sturz bereits durchnässt ist. Der Gedanke an die frische Luft und die Anstrengung lässt sie freudig erschauern. Es macht immer Spaß, im Regen zu spielen, egal, was der Trainer sagt.

Es ist schon zu lange her, seit sie gespielt hat, das weiß sie. Sie beginnt mit den Dehnungen.

Sie wärmen sich auf, indem sie auf der Stelle joggen. Kendalls Haare fliegen herum, und sie ärgert sich, dass sie ein Haargummi vergessen hat. Sie machen ein paar Übungen, dribbeln, tricksen sich gegenseitig aus. Sie bewegen sich beide langsam und vorsichtig auf dem durchweichten Boden. Eine Leistenzerrung können sie beide nicht brauchen, das ist sicher.

Je mehr sich Kendall an die Bedingungen gewöhnt, desto mehr Risiken geht sie ein. Sie spielt viel intensiver, und ist bald in dem speziellen Zustand – dem Zustand, in dem die wirbelnden Gedanken langsamer werden und für eine Weile aufhören. Es ist so eine Erleichterung. Die schwindelerregenden Endorphine treiben Kendall dazu, den Ball und Jacián herauszufordern. Sie bemerkt nicht einmal, dass es wieder anfängt zu tröpfeln und gleich darauf in Strömen regnet. Sie weiß nur, dass sie zum ersten Mal seit Wochen wieder Erleichterung verspürt.

Ihre Depressionen verschwinden, und es scheint, als würde ihr Geist an einen anderen Ort gehen, einen ruhigen, friedlichen Ort, wo sie nichts beunruhigen kann. Sie hat das Gefühl zu schweben, als sie um Jacián herumspringt und den Ball ins Tor schießt, sodass er ihr nur atemlos hinterhersehen kann.

Wieder und wieder überlistet sie ihn auf dem glatten Boden. Je schwieriger die Umstände sind, desto besser scheint sich Kendall konzentrieren zu können. Sie hat nur noch ein Ziel: den Ball in die andere Richtung zu lenken, am Feind vorbei ins Netz. So einfach und doch so schwierig.

Wenn der Feind besser ist als sie und ihre Konzentration stört, denkt sie nicht. Sie greift einfach an.

Mit Höchstgeschwindigkeit jagt sie Jacián hinterher, holt ihn ein, packt ihn um die Taille und hält ihn fest, während der Ball ins Aus fliegt. Er rutscht aus und stürzt stöhnend auf ein Knie in den weichen, matschigen Rasen und packt Kendall im Sturz am Arm. Er wird nicht allein zu Boden gehen.

Kendall landet auf ihm.

»So nicht!«, schreit er ihr lachend ins Ohr und rollt sie herum, sodass auch sie vom schmutzigen Regenwasser durchweicht wird. Sie wird aus ihrem Konzentrationsmodus gerissen und realisiert die Situation. Er liegt auf ihr, mit Matsch im Gesicht und tropfenden Haaren. Seine Kleidung ist völlig durchnässt. Er hält sie fest, bis er merkt, dass sie sich nicht wehrt, sondern nur versucht, Luft zu bekommen, und lässt los. Keuchend sieht sie ihn an, als verstünde sie nicht, was vor sich geht. Ihr Atem kommt stoßweise.

»Habe ich ein Tor geschossen?«

»Äh …« Er lacht. »Nein. Nicht mal ansatzweise. Alles in Ordnung?« Er schiebt ihr das schmutzige Haar aus dem Gesicht und wirkt besorgt. »Hey.« Seine Finger auf ihrer Wange fühlen sich kalt an.

Sie keucht und versucht, Luft zu bekommen.

»Ich glaube, ich muss kotzen.«

»Nein, musst du nicht.«

»Woher willst du das wissen?«

»Ich weiß es einfach. Dir geht es gut.« Trotzdem rollt er sich vorsichtshalber weg.

»Vielleicht ertrinke ich auch vorher.«

»Die Möglichkeit besteht.«

Keuchend liegen sie im prasselnden Regen. Sobald sich Kendall wieder bewegen kann, richtet sie sich zum Sitzen auf. Sie schaut auf Jacián, der in T-Shirt und Shorts total schlammverspritzt neben ihr liegt.

»Dir muss kalt sein.«

»Ja.« Er setzt sich ebenfalls auf, und sie sieht die Gänsehaut auf seinen Armen und Beinen. »Und dir?«

»Ich glaube, mein Sweatshirt wiegt fünfzig Pfund. Es hält mich schon deshalb warm, weil es so schwer ist.«

»Ich glaube, ich habe immer noch Arizona-Blut in den Adern.« Er zieht die Knie an. »Ich bin die Kälte nicht gewöhnt.«

»Warte es nur ab, bald fängt es an zu schneien. Von einem Tag auf den anderen wird der Herbst vom Winter abgelöst. Wenn es hier unten regnet, schneit es in den Bergen jetzt wahrscheinlich schon.«

Jacián steht auf. Seine Sachen triefen. »Reitest du eigentlich?«

»Ja, sicher. Wir haben nur im Moment keine Pferde.«

»Ich wette, ich kenne jemanden, bei dem du dir eines borgen könntest.«

Lächelnd steht auch Kendall auf, und sie gehen gemeinsam zur Veranda.

»Du solltest hineingehen. Soll ich hier draußen abtropfen? Ich kann meine Mum anrufen, damit sie mich abholt. Ich bezweifle, dass sie bei diesem Wetter auf den Feldern sind.«

»So wie du aussiehst, bist du in keinem Auto gerne gesehen. Du kannst auch einfach hier duschen. Wir haben genügend Badezimmer. Oder ist dir das unangenehm?«

»Ein bisschen. Ich habe nicht einmal daran gedacht,

mir ein Handtuch mitzubringen, wie ich es sonst immer getan habe, wenn wir im Regen gespielt haben.«

»Das macht doch nichts. Wirklich.«

Kendall spürt, wie sich die Kälte langsam in ihr ausbreitet.

»Okay. Ja, danke.« Vorsichtig zieht sie sich das Sweatshirt über den Kopf und lässt es wie einen nassen Sack auf die Veranda fallen. »Ich werde eine Plastiktüte für meine Sachen brauchen.«

»Kein Problem.«

Er zieht Schuhe und Socken aus, drückt so viel Wasser wie möglich aus dem Saum von T-Shirt und Shorts, damit er nicht das ganze Haus volltropft. »Weißt du noch, wo oben Marlenas Bad ist? Du wirst einen Sprint hinlegen müssen.«

»Yep.« Sie macht es wie er mit Schuhen und Kleidung. Dank des Sweatshirts ist ihr T-Shirt nur etwas nass, aber es klebt an ihr. Als Jacián es bemerkt, wird sie rot. »Okay, ich renne los.«

»Vergiss nicht, trockene Sachen mitzunehmen, sonst hast du nachher noch ein Problem.«

Kendalls Wangen brennen.

»Gute Idee.«

Sie öffnet die Tür, läuft leichtfüßig durchs Haus und greift sich im Vorbeigehen ihren Rucksack, bevor sie die Treppe hinaufhuscht.

Noch nie hat ihr eine Dusche so gutgetan. Selbst der Gedanke, dass sie mit Jacián allein im Haus ist und der gerade nackt unter einer anderen Dusche in der Nähe steht, kann sie nicht durcheinanderbringen.

»Vielen Dank, Fußball«, flüstert sie andächtig. Sie fühlt sich großartig. Es ist so lange her. Sie seift sich ein und denkt darüber nach, wann sie sich das letzte Mal so gut

gefühlt hat … Nun, als sie das letzte Mal mit Jacián Fußball gespielt hat.

»Ich frage mich, ob ich ihn zum Tanzen bewegen
könnte«, überlegt sie laut, während sie mit den Fingern
durch das nasse Haar fährt, um es zu kämmen.

Mit immer noch nassen Haaren kommt sie in Schulkleidung aus dem Badezimmer und fühlt sich auf einmal
unwohl. Sie fragt sich, was sie im Erdgeschoss vorfinden
wird. Sie schleicht nach unten und hört Geräusche aus der
Küche. Als sie hineingeht, sieht sie Jacián in Jeans und mit
einem Handtuch um den Hals am Tresen stehen. Sein
Training kann er jedenfalls nicht leugnen. Er hört sich
eine Nachricht von Mrs Obregon auf dem Anrufbeantworter an, die sagt, dass sie in Bozeman essen gehen wollen und er mit dem Abendessen nicht auf sie warten soll.
Er löscht die Nachricht.

»Hi«, sagt Kendall.

Jacián greift in den Kühlschrank und holt zwei Gran-
ny-Smith-Äpfel und ein Stück Käse heraus.

»Hast du Hunger? Also, ich schon.«

»Ja, klar.«

Er nimmt ein Glas Erdnussbutter aus dem Schrank,
ein Messer aus einer Schublade und beginnt die Äpfel zu
schneiden.

»Ich sollte wohl bald nach Hause …«, beginnt Kendall.
»Du hast doch sicher zu tun.« Sie muss immer auf seine
Brust starren.

Er hört auf zu schneiden.

»Musst du gleich weg? Ich kann dich fahren.«

»Nein! Ich meine, so eilig ist es nicht. Und nur, wenn
du willst. Ich kann auch meine Mum anrufen.«

»Schon gut. Ich will es.« Er schneidet weiter, auch den

zweiten Apfel, dann packt er den Käse aus und schneidet auch den. Er reicht ihr einen Teller. »Hier: Äpfel, Erdnussbutter und Manchego. Such dir etwas aus.«

Sie nimmt von allem etwas.

»Hm, also, ich bin nicht sicher, ob es dir aufgefallen ist, aber du trägst kein T-Shirt.«

»Das lenkt dich ab, was?«

»Du bist dir ziemlich sicher, dass du eine heiße Nummer bist, oder?«

Irgendwie ist es angenehmer, wenn sie sich streiten können.

»Das hast du gesagt.«

»Und ich bin mir sicher, dass ich es bereuen werde. Läufst du immer so rum?«

»Ja, immer. Ist es etwa das erste Mal, dass es dir auffällt?« Er zieht ein Stück Apfel durch die Erdnussbutter und beißt ab. »Nein, nur am Wäschetag. Ich habe keine T-Shirts mehr.«

»Oh, Mist. Wäsche. Ich brauche eine Plastiktüte.« Kendall springt vom Barhocker. »Ich habe meine nassen Sachen in der Dusche hängen lassen.«

Jacián greift in eine Schublade und holt eine Mülltüte heraus.

»Hier.«

»Bin gleich zurück.«

Als sie kurze Zeit später wiederkommt, ist das Essen verschwunden.

»Wow.«

»Ich hatte wirklich Hunger.«

»Offensichtlich.«

Er grinst. »Was willst du? Ich bin im Wachstum.«

»Was ich will? Ich weiß nicht recht. Vielleicht den Rest des Essens, das auf *meinem* Teller lag?«

»He, du bist gegangen.«

»Das nächste Mal nehme ich meinen Teller mit.«

»Das nächste Mal.« Er hebt eine Augenbraue. »Morgen?«

Sie sieht ihn an. Hin- und hergerissen. Sie weiß, dass ihre Eltern ihre Hilfe brauchen, aber die Erntezeit ist fast vorbei. Und wenn sie ihre Mutter fragen würde, würde sie sofort Ja sagen. Nach der Erleichterung, die sie noch immer in ihrem Kopf spürt, würde sie am liebsten gleich wieder hinausgehen und spielen bis zum Umfallen.

Doch noch ein anderes Gefühl nagt an ihr. Eines, das sie jedes Mal beiseiteschiebt, wenn sie ein nettes Gespräch mit Jacián führt. Sie weiß, dass es lächerlich ist. Aber wenn sie daran denkt, was Nico möglicherweise durchgemacht hat, oder vielleicht immer noch durchmacht ... Wie kann sie etwas tun, was Spaß macht, dazu noch mit einem anderen Jungen, und ein gutes Gefühl dabei haben?

Es scheint einfach falsch.

»Ich wusste nicht, dass das eine so gefährliche Frage ist.« Jacián neigt sich über den Küchentresen und sieht Kendall aufmerksam in die Augen, während sie schweigt.

Sie schluckt schwer. »Ist es nicht. Es ist ... ich weiß nicht. Wir werden sehen.«

Jacián nickt.

»Okay.«

Er verschwindet im Haushaltsraum nebenan und kommt einen Augenblick später in einem Phoenix-Suns-Sweatshirt wieder heraus.

»Mein Dad ist ein großer Fan davon«, erklärt er augenrollend. »Fertig?« Er nimmt die Autoschlüssel aus der Tasche.

Kendall nickt.

Schweigend fahren sie zu ihr. Als sie die Auffahrt erreichen, beendet er die Stille: »Also, wenn du darüber reden möchtest ... ich ... ich kann zuhören. Oder ... was auch immer.«

»Danke. Ich weiß nicht, ob ...« Sie nimmt ihren Rucksack, der mit den nassen Sachen eine Tonne zu wiegen scheint. »Danke«, wiederholt sie. Und weil er so ernst ist, nimmt sie seine Hand und drückt sie. Dann schlüpft sie aus dem Pick-up ohne zurückzusehen.

In dieser Nacht schläft Kendall zum ersten Mal seit Nicos Verschwinden wieder tief und fest.

Wir

Wut. Wieder werden Wir aufgehalten und Unser
Plan vereitelt. Unsere Seelen hämmern und schlagen
das Metall, das Holz, den Raum und das Gebäude.
Die Rache ist nah! Fünfunddreißig. Einhundert.
Fünfunddreißig. Einhundert! Voller Verzweiflung
kratzen wir eine neue Botschaft.

Berühr mich.
Sag es niemandem.
Ich bin es.

20

Die Sonne scheint wieder. Es ist Freitag, und Nicos Pult steht noch an seinem Platz.

Fast hätte sie sie nicht bemerkt – die Worte.

Aber sie tut es. Wie hätte sie sie auch übersehen können?

Sie kann ja sonst nichts tun. Sie streicht mit den Fingerspitzen darüber, wenn sie am Tisch vorbeigeht, um ihren Bleistift anzuspitzen. Und wieder, wenn sie etwas in den Mülleimer wirft. Dann hört sie es, ganz leise. Das Flüstern. Nicos Stimme. *Berühr mich. Sag es niemandem. Ich bin es.*

Mittags wartet sie, bis alle draußen sind, dann wagt sie es. Vorsichtig lässt sie die Finger über die neue Kritzelei gleiten, hin und zurück, während ihr Nicos Stimme in den Ohren klingt.

Ihr Herz schlägt schnell. Wie ist es möglich, dass all das passiert?

Sie legt die Wange auf das Pult, schließt die Augen und nimmt seine Worte auf. Diesmal ist es nicht so stark, nicht so überwältigend. Es beginnt sanft und wächst dann, eine Euphorie, die sie überkommt.

Als die Mittagszeit vorbei ist, will sich Kendall nicht von dem Tisch trennen. Sie bleibt, wo sie ist, rührt sich nicht, hört Ms Hinkler nicht zu und kümmert sich nicht darum, was die anderen von ihrem unerlaubten Platzwechsel halten mögen. Sie bemerkt die verwunderten Blicke von Jacián und Eli und den anderen nicht. Nichts spielt eine Rolle außer den Worten und dem Trost, den sie bringen.

★★★

Als Jacián und Marlena sie am Ende des Schultages anstupsen, reißt Kendall sich los. Sie hat das Gefühl, der Nachmittag hätte nur ein paar Minuten gedauert. Und jetzt muss sie ihn verlassen, Nico verlassen, das ganze Wochenende lang. Das unglaubliche Hochgefühl verebbt langsam, und als die drei bei Hector ankommen, hat Kendall das Gefühl, sie hätte gerade einen Zuckerschock hinter sich. Sie ist lethargisch und durcheinander.

»Was ist denn heute los mit dir?«, will Jacián wissen, als sie sich vor dem Fußball dehnen. Marlena sitzt in eine Decke gewickelt auf der Veranda und sieht ihnen zu, den Fuß auf das Geländer gelegt.

»Nicht viel«, gibt Kendall zu. Ihre Stimme klingt wie aus weiter Ferne.

»Hast du es satt, neben mir zu sitzen?«

»Hm? Nein. Ich …« Sie bricht ab und fragt sich, was sie sagen soll. »Ich habe nur das Gefühl, Nico näher zu sein, wenn ich dort sitze.«

Jacián nimmt einen Ball und beginnt zu dribbeln. Er sagt nichts.

Kendall macht einige Übungen, doch als ihr Jacián den Ball zuspielt, verfehlt sie ihn und macht nicht einmal Anstalten, ihn zurückzuschießen.

»Komm schon«, verlangt er.

Kendall schüttelt die Arme und joggt kurz auf der Stelle, um den Kopf freizubekommen.

»Es tut mir leid. Ich weiß nicht recht …«

Sie versucht, sich zu konzentrieren, und während sie sich anstrengt, den Fokus auf den Sport zu lenken, nimmt das Schwindelgefühl allmählich ab. Als sie richtig spielt, fangen die Fragen an, die sie bei jedem Schritt bombardieren.

Was passiert mit mir?

Wie ist das möglich?

Hat Nico das auch gespürt, war er deshalb so abwesend in den Tagen, bevor er verschwand?

Sie bleibt stehen und lässt sich von Jacián den Ball wegnehmen, als sie erkennt, wie merkwürdig alles an diesem Tag war.

»Oh mein Gott.« Sie versucht ruhig zu atmen. »Oh mein Gott, ich werde verrückt.«

In ihrem Kopf hämmert es, und sie lässt sich ins Gras fallen.

Jacián läuft zu ihr.

»Alles in Ordnung?«

Kendall sieht ihn lange an, doch dann schüttelt sie den Kopf und bricht in Tränen aus.

»Irgendetwas geschieht mit mir«, schluchzt sie.

Jacián setzt sich vor ihr auf den Boden und streckt die Hände aus. Sie klammert sich an ihn, birgt das Gesicht an seiner Schulter und weint. Er hält sie fest, fährt ihr mit der Hand über den Rücken, streicht ihr das Haar aus dem Gesicht und flüstert ihr ins Ohr: »Es ist alles okay, Kendall, alles in Ordnung.«

»Irgendetwas Seltsames passiert.« Sie kann nicht aufhören zu weinen. »Ich will nicht verschwinden. Ich hatte gedacht, dass ich es will, um bei ihm zu sein, aber das stimmt nicht. Ich will nicht. Ich habe solche Angst.«

Jacián streicht ihr über das Haar.

»Niemand will, dass du verschwindest«, sagt er sanft.

Auf der Veranda hüpft Marlena auf ihrem gesunden Fuß näher, um zu sehen, was los ist, doch Jacián winkt sie zurück. Stirnrunzelnd zieht sie sich ins Haus zurück, um vom Fenster aus zuzusehen.

»Ich habe solche Angst«, wiederholt Kendall flüsternd.

»Sag mir, warum«, bittet Jacián. »Weißt du etwas? Ist etwas geschehen?« Er lehnt sich zurück, sieht sie an und wischt ihr sanft die Tränen von den Wangen.

Kendall überlegt lange und versucht, zu einem Entschluss zu kommen. Alles, was sie über den Tisch sagen kann, wird komplett idiotisch klingen.

»Es ist verrückt. Ich werde verrückt. Ich schwöre es. Warum, kann ich dir nicht sagen. Ich … ich weiß nicht einmal, warum.«

»Wie kann ich dir helfen?« Jacián sieht sie besorgt an. Seine Härte und die Wut, die Kendall bei ihrem ersten Treffen gespürt hat, sind verflogen.

Aber sie kann es ihm nicht sagen.

»Ich …« Sie beißt sich auf die Lippe und versucht, über ihre eigene Lächerlichkeit zu lachen. Denn wenn sie über den Tag nachdenkt, scheint alles so verrückt. Als ob sie hypnotisiert gewesen und gerade daraus erwacht sei. Wahrscheinlich ist es sowieso nur Einbildung. »Ich muss nur eine Weile aufhören, an Nico zu denken, glaube ich. Ich will ihn nicht vergessen, nur … ich muss versuchen, ihn eine Weile loszulassen.«

Jacián schluckt schwer und sieht einen Moment lang in den Wald, als wüsste er nicht, was er sagen soll. Dann nickt er.

»Okay. Hm …«

»Ja, also … Kannst du mir helfen?« Schniefend reibt sie sich die Augen. »Tut mir leid wegen der Heulerei.«

»Klar. Und es macht mir nichts aus. Ab und zu zumindest.« Er lacht. »Ich weiß allerdings nicht genau, wie ich dir helfen kann. Soll ich dich beschäftigen? Zum Beispiel dadurch, dass wir beide morgen ausreiten?«

»Ja, so in etwa. Hört sich gut an. Ich sage meinen Eltern, dass ich ein wenig Abstand brauche von den Gedanken, die mir während der Arbeit auf der Farm durch den Kopf kreisen. Sie werden mich gehen lassen. Sie machen sich Sorgen um mich.«

»Und, kommst du am Sonntag zu Marlenas Geburtstagsparty?«

»Ja«, antwortet Kendall. »Ja, danke. Okay.« Erleichtert seufzt sie auf. »Das klingt gut. Ich hoffe, du bist nicht genervt von mir. Du bist ein wahrer Held, dass du das für mich tust.«

»Na ja, es ist schon echt schwer. Wenn ich dich nur ansehe, dann will ich schon … irgendetwas tun.«

»Oh, vergiss es!«

»Ja, ich weiß, es ist jämmerlich. Ich arbeite daran.«

Kendall springt auf, ein wenig verlegen und bereit, diesen Teil des Dramas zum Abschluss zu bringen.

»Okay, bist du bereit, weiterzuspielen?«

Sie streckt ihm die Hand hin.

»Die Regeln besagen, dass das Spiel erst zu Ende ist, wenn du mich absolut böse gefoult hast und ich am Boden liege.«

»He, das war kein böses Foul!« Sie gibt ihm einen Klaps auf den Kopf.

Jacián nimmt ihre Hand und steht auf.

»Gestern? Mich um die Taille zu packen und mir ein Bein zu stellen? Nein, das war echt raffiniert, Fletcher. Keine Frage. Nun«, meint er leichthin, sieht sie dabei aber durchdringend an. »Mal sehen, ob du heute deine Finger von mir lassen kannst.« Mit dem Daumen streift er eine letzte Träne von ihrem Kinn.

Ein unerwartetes, sehnsüchtiges Ziehen breitet sich in ihrem Körper aus, und sie öffnet überrascht den Mund.

»Kein Problem«, entgegnet sie, aber sie ist sich nicht ganz sicher, ob sie das auch so meint.

Wir

Wir hatten dich. Für einen kurzen Moment hatten
Wir dich in Unseren Fängen. Du warst eine Fliege
in unserem Netz.

Unsere Geduld ist am Ende, Unsere Seelen in Holz
gefangen. Wir brauchen dich.

Komm zurück, kleine Fliege!

Rette mich!
Ich lebe.
Sag ja.

21

Der Samstag beginnt schön. Beim Frühstück denkt Kendall an die Schule und an den Tisch. Sie weiß, dass ihr Gehirn ihr einen Streich spielt. Es führt sie in die Irre. Es muss der Stress sein. Mit Jacián zusammen sein und sich normal verhalten? Hört sich toll an. Wieder einmal reiten? Fantastisch. Das letzte Mal ist Monate her.

»Du hast den Rest der Saison frei«, erklärt ihr Vater. »Möchtest du noch mal zu deinem Hirnklempner?«

»Nathan!«, rügt Mrs Fletcher.

»Entschuldige. Zu deiner Therapeutin?«

»Mir macht es nichts aus, wenn du sie einen Hirnklempner nennst«, meint Kendall, den Mund voller Pfannkuchen. »Und nein, ich glaube, es geht mir gut. Ich muss nur wieder ein paar der alten Techniken anwenden, um die Zwänge in den Griff zu bekommen. Ich weiß, was ich tun muss. Es ist nur so, dass ich die ganze Zeit in der Schule an Nico denken muss. Und auf den Feldern … es hat mich ziemlich beschäftigt. Hat mich ein bisschen verrückt gemacht.« Ziemlich verrückt sogar, wenn sie ehrlich war.

»Ich habe es dir ja gesagt, Nathan«, behauptet Mrs Fletcher, »es war keine gute Idee, ihr so einen strikten Stundenplan zu diktieren, nach allem, was passiert ist.«

»He!«, regt sich Mr Fletcher auf. »Wieso ist denn plötzlich alles meine Schuld?«

»Und dann die Absage von der Juilliard …«

»Vielen Dank, dass du mich daran erinnerst«, wirft Kendall ein. Die Erwähnung der Juilliard und die Erinnerung an das Fehlen jeglicher Zukunftspläne versetzen ihrer Stimmung einen gewaltigen Dämpfer.

»Tut mir leid«, entgegnet Mrs Fletcher. »Aber du musst wirklich bald einmal über andere Möglichkeiten nachdenken.«

»Aber Mum!« Kendall lässt den Kopf auf den Tisch sinken. Doch sie weiß, dass ihre Mutter recht hat.

»Und was hast du heute vor?«

Kendall hebt den Kopf. »Ich will ausreiten.«

»Mit wem?«

»Mit … Jacián.« Sie hat ein schlechtes Gewissen, es auszusprechen, als ob Nico ihr zuhören könnte.

»Kommt Marlena auch mit?«

»Nein«, gibt sie zurück, »sie ist noch nicht so weit, sich wieder auf ein Pferd zu setzen.«

Mr Fletcher kichert.

Ihre Mutter sieht besorgt aus. »Kann er denn reiten?«

»Ja. Marlena hat gesagt, sie hätten in Arizona Dutzende von Pferden gehabt. Und gelegentlich reitet er das von Hector.«

»Aber ihr bleibt doch in der Nähe der Stadt, nicht wahr? Reitet bitte nicht zu weit weg«, mahnt Mrs Fletcher nervös.

»Mum, darf ich dich daran erinnern, dass die beiden, die verschwunden sind, in der Stadt waren? Wahrscheinlich sind wir umso sicherer, je weiter wir wegreiten.«

»Ich weiß. Ich mache mir nur Sorgen.«

»Schon gut. Wir sind vor Einbruch der Dunkelheit zurück.«

»Gut. Ruf mich an, wenn ich dich abholen soll, aber

wahrscheinlich bin ich bis Sonnenuntergang bei der Arbeit.«

Mr Fletcher trinkt seinen Kaffee aus und schiebt müde den Stuhl zurück, bereit für einen weiteren arbeitsreichen Tag.

»Ende der nächsten Woche müssten wir fertig sein«, stellt er auf dem Weg nach draußen fest.

Mrs Fletcher folgt ihm und küsst Kendall im Vorbeigehen auf die Wange.

»Viel Spaß. Den kannst du zur Abwechslung vertragen.«

»Werde ich haben. Bis heute Abend. Ich rufe dich an, wenn wir wieder auf der Ranch sind. Du und Dad, ihr kommt doch morgen zum Essen zu Hector, oder? Hat er angerufen?«

»Ja, er hat angerufen. Wir werden es versuchen. Diese Woche haben wir fast zwei Tage wegen des Regens verloren … aber auch dein Vater und ich könnten eine Pause vertragen.«

»Cool.« Kendall umarmt ihre Mutter. »Vielen Dank, dass ich nicht arbeiten muss.«

★★★

Als Jacián sie abholt, hat Kendall einen Rucksack mit Wasser und Essen, einem Erste-Hilfe-Set und einer Decke fürs Picknick gepackt. Sie trägt Jeans und Stiefel und nimmt auf dem Weg nach draußen ihre Jacke und den Cowboyhut mit.

»Bist du schon mit den Lieferungen fertig?«, fragt sie, als sie zur Ranch zurückfahren.

»Die habe ich gestern Abend erledigt und die letzten beiden heute Morgen.«

»Super.«

Auf der Ranch holen sie die Pferde aus dem Stall. Marlena winkt ihnen traurig vom Fenster aus zu.

»Sie jammert den ganzen Tag«, behauptet Jacián.

»Ich habe ein schlechtes Gewissen, weil sie nichts machen kann.«

»Nachher bekommt sie Besuch von Freunden. Sie wird sich schon nicht langweilen. Und außerdem schmeißen wir morgen eine Riesenparty für sie.«

»Das stimmt.«

Im Stall ist es gespenstisch still. Sie satteln zwei Reitpferde und führen sie hinaus. Kendall packt den Rucksack aus und belädt die Satteltaschen mit ihren Sachen, bevor sie aufsteigt. Dann reiten sie schweigend und in flottem Tempo Richtung Wald. Die frische Luft duftet nach Harz.

Nach einer Weile beginnen Kendalls Gedanken wieder um das Pult und um Nico zu kreisen. Sie will das alles vergessen und versucht sich abzulenken. »Weißt du noch, als du in unserer Einfahrt warst?«

»Klar.«

»Am nächsten Tag hast du gesagt, dass du dich wegen irgendetwas schlecht gefühlt hast und deshalb spazieren gegangen bist. Was war denn los?«

»Oh.« Die Frage überrascht Jacián. »Hm … ja. Keine große Sache.«

»Ach, komm schon. Was war es?«

»Na ja, der Umzug hierher war ziemlich heftig. Ich glaube, der Vollmond hat mich melancholisch gemacht oder so … ist schon gut.«

»Du bist ja echt hart im Nehmen.« Sie verdreht die Augen.

»Ja, schon möglich.«

Kendall zuckt die Achseln.

»Lass mich mal raten. Du musstest deine Freundin in

Arizona zurücklassen, du hasst das Landleben, du vermisst die Stadt, musst dein letztes Highschooljahr mit einem Haufen Fremder verbringen und einen blöden Job machen, zu dem eine Menge tierischer Mist gehört, und das alles für einen Großvater, den du kaum kennst. Du musstest das Großstadt-Fußballteam der Schule gegen ein mickriges halbes Cowboy-Team aus Hinterwäldlern eintauschen, und dann wird die Saison gecancelt, weil zu viele Spieler spurlos verschwinden. Wie mache ich mich?«

Jacián muss unwillkürlich lächeln. »Du kommst den tausend Punkten ziemlich nahe.«

»Und du hast keine Chance auf ein Stipendium, weil du keinem Scout deine erstaunlichen Fähigkeiten zeigen kannst.«

»Stimmt …«

»Das hört sich an, als sei da noch mehr.«

»Na ja, dazu kommt noch, dass ich direkt nach dem Umzug in eine Stadt von ausschließlich Weißen als Kidnapper verdächtigt wurde.«

»Nicht ausschließlich weiß. Der alte Mr Greenwood ist Schwarzfuß-Indianer, sagt Eli. Und es gibt auch noch andere. Travis' Mum ist aus Kambodscha.«

»Na, von mir aus. Das ist jedenfalls vorbei.«

»Außerdem glaubt das niemand mehr. Die waren alle heilfroh, dass sie Nico beschuldigen konnten, als er sich nicht mehr verteidigen konnte.«

Jacián schweigt einen Moment. Die Pferde arbeiten sich einen kleinen Hügel hinauf.

»Ich glaube nicht, dass er irgendetwas getan hat.«

»Aber es ist doch komisch, oder?«

»Ja, schon. Was glaubst du denn, was passiert ist?«

Kendall muss an das Pult denken. Und daran, wie merkwürdig Nico sich verhalten hat. Dass sie das Gefühl hatte, in Trance zu sein, als sie gestern dort saß. Und über den Zufall, dass Nico und Tiffany beide an demselben Tisch gesessen hatten und dass Nicos Auto vor der Schule gestanden hatte, als er verschwunden ist.

»Kendall? Alles klar?«

Sie sieht ihn an.

»Wenn ich dir etwas Verrücktes erzähle, wirst du mich dann … na ja … auch für verrückt halten?«

»Wahrscheinlich schon.« Er grinst, um ihr zu zeigen, dass das ein Witz sein soll.

»Du weißt doch von Tiffany, dem Mädchen, das im Mai verschwunden ist? Sie und Nico saßen am selben Tisch.«

Jacián schweigt.

»Es ist nur ein Zufall. Ich meine, wem wäre so etwas schon aufgefallen außer meiner zwangsgestörten Wenigkeit.«

»Ja«, antwortet Jacián langsam. »Das ist ein merkwürdiger Zufall.« Er sieht Kendall mit gerunzelter Stirn an und denkt nach, doch er sagt nichts dazu.

»Du hältst mich für verrückt.«

»Du bist verrückt. Aber das ist nichts Schlimmes.«

Sie kommen auf ein großes, offenes Feld, auf dem Rinder herumlaufen.

»Gehören die euch?«, fragt Kendall.

Jacián reitet näher heran, um nach dem Brandzeichen zu sehen.

»Sieht ganz so aus.«

»Wer treibt sie denn zusammen, wenn der Winter kommt?«

»Meine Eltern, ich, und wenn sie dann schon wieder auf ein Quad steigen darf, Marlena.«

»Reitet Hector auch noch?«

»Nicht auf Quads. Aber auf Pferden? Klar, das gibt er wohl nie auf.«

»Ich habe ihn schon eine ganze Weile nicht mehr auf einem Pferd gesehen. Wie geht es ihm denn?«

»Er geht es etwas lockerer an. Jetzt, wo meine Eltern hier sind, ist er sozusagen auf ›Halbpension‹. Er verbringt eine Menge Zeit mit dem alten Mr Greenwood.«

Kendall überlegt. »Er hat gesagt, sie seien seit der Teenagerzeit befreundet.«

Jacián nickt. »Sie sind beide in derselben Besserungsanstalt gewesen.«

»Was?« Kendall zieht an den Zügeln ihres Pferdes. »Ist das dein Ernst?«

»Mein voller Ernst. Er hat es mir neulich erzählt.«

»Hier in der Gegend?«

»Nicht weit von hier. Nur ein paar Meilen. Wenn man dem Viadukt bis ins Nirgendwo nach Norden folgt, kommt man an eine überwachsene Kieseinfahrt. Wenn man nicht weiß, dass sie da ist, sieht man sie gar nicht. Als wir nach Nico gesucht haben, waren wir am hinteren Ende des Geländes, das eigentlich in Luftlinie viel näher an der Ranch liegt, aber von dort aus völlig unzugänglich ist«, erzählt Jacián. »Die Einrichtung wurde schon vor langer Zeit geschlossen und steht seitdem leer. Jetzt ist alles total überwuchert. Grandpa wollte nicht mal in die Nähe.«

»Warum?«

»Er sagt, es war ein böser Ort. Er wollte auch nicht darüber reden. Er hat nur gesagt, dort ginge er nie wieder hin. Zu viele Erinnerungen.«

»Der arme Hector. Er ist so nett.«

»Schade, dass davon nichts auf mich abgefärbt hat, was?« Jacián grinst.

Kendall muss lachen. »Genau das habe ich anfangs von dir gedacht. Weißt du noch, als du mir erklärt hast, wie ich das Fleisch in die Gefriertruhe sortieren soll? Ich bin fast ausgeflippt. Am liebsten hätte ich dich geschlagen.«

»Das ist mir durchaus aufgefallen. Aber du musst ein bisschen nachsichtiger sein. Ich wusste ja nichts von deiner ... ähm ... besonderen Gabe. Du weißt schon, dass die Art, in der du es sortiert hast, völlig unlogisch war, oder?«

»Klar weiß ich das, aber das kann dir doch egal sein, oder? Bist du so eine Art Kontrollfreak?«

»Vielleicht ein wenig. Nicht mehr sehr viel. Ich habe es aufgegeben.« Er lacht ein wenig bitter. »Offensichtlich habe ich im Moment über nichts mehr die Kontrolle.«

Eine Weile schweigen sie. Der Pfad vor ihnen schlängelt sich zu einem weiten, offenen Gebiet. Jacián schnalzt mit der Zunge und neigt sich nach vorne, sodass sein Pferd erst in Trab und dann in Galopp verfällt. Kendall setzt ihm nach, und eine Viertelstunde lang jagen sie sich gegenseitig bis zum Waldrand.

»Das war toll!« Kendalls Wangen glühen. Sie steigen ab, und sie kramt ihr Picknick aus den Satteltaschen hervor. »Das ist ein Spitzentag. Danke, dass du mich dazu überredet hast.«

Jacián legt sich auf die Decke, rupft einen langen, weizenartigen Grashalm aus und kaut daran.

»Ja, ich musste dich ganz schön bearbeiten.«

Kendall lässt sich neben ihn fallen.

»Ach, hör auf damit! Warum müssen wir uns immer streiten?«

»Weil es Spaß macht?«

Kendall schlägt ihm auf die Brust, aber dieses Mal ist er vorbereitet. Er packt ihren Arm, drückt ihn an seine Brust und zieht sie näher zu sich heran.

»Lass das.«

Kendall bemüht sich einarmig, sich aufzusetzen. Auf ihrem Gesicht spiegelt sich Überraschung.

»Was soll ich lassen?« Durch sein Hemd spürt sie seine Körperwärme. »Ich glaube, du hast Angst, mich zu mögen.« Jaciáns dunkle Augen bohren sich in die ihren, bevor er weiterspricht. »Wenn du mich anfassen willst, Kendall, dann tu es einfach, aber versteck es nicht hinter diesen albernen Mädchenklapsen.«

Sie reißt die Augen auf und starrt ihn an, während sich in ihrer Magengrube ein seltsames Gefühl breitmacht. Etwas Unglaubliches. Und ein wenig Beängstigendes. Etwas, was sie noch nie zuvor gefühlt hat. Doch sie bringt nur hervor:

»Wieso glaubst du, dass ich dich anfassen will? Ich habe einen Freund, und du hast eine Freundin.«

»Ist das so?«

Kendall schluckt schwer. »Das scheint doch völlig klar.«

Jacián hält ihren Arm noch einen Moment länger fest, und nur ein Zucken des Augenlids und seines Mundwinkels deuten an, dass er sie gehört hat. Dann lässt er sie los.

»Ist auch egal.«

Er räuspert sich und steht auf, um ein paar Äpfel und etwas Hafer für die Pferde aus seiner Satteltasche zu nehmen.

Kendall starrt ihn von der Decke aus an. Dann schüttelt sie den Kopf und packt das Lunchpaket aus. Sie sortiert den Obstsalat in ihrer Schüssel, bevor sie ihn isst, doch sie schmeckt rein gar nichts. Sie hat das Gefühl, Sägemehl im Mund zu haben. Denn eines ist klar, obwohl sie das nie zugeben wollte:

Bei Nico, der alles für sie tun würde und seit ihrer Geburt ihr bester Freund ist, hat sie sich nie so gefühlt. Nie. Nie hat er es mit einem Blick oder einer Berührung in ihrem Bauch kribbeln lassen. Nie hat er sie so heiß gemacht, dass sie ihn umwerfen und küssen wollte, sich an ihn schmiegen und auf einem Feld herumrollen wollte und es ihr sogar egal wäre, wenn sich Grashalme in ihrer Kleidung verfangen würden.

»Willst du nichts essen?«, bricht sie nach einer Weile das Schweigen.

»Ich habe keinen Hunger.«

»Ich habe dir ein Lunchpaket gemacht.«

»Danke, aber ich habe trotzdem keinen Hunger.«

Kendall sieht ihn böse an. Wie kann jemand, der eben noch so attraktiv war, auf einmal so unausstehlich sein? Wie auch immer, der perfekte Tag ist ruiniert.

Ruiniert von der Wahrheit.

Und das Schuldgefühl wächst. Das Schuldgefühl gegenüber Nico. Sie verflucht ihre eigene Schwäche. Er ist erst seit einem Monat fort. Es wäre nicht anders, wenn sie zur Juilliard und er nach Bozeman gegangen wäre.

Doch es ist anders. Es ist sogar ganz anders. Schlimmer, denn er kann nichts mehr dazu sagen. Schlimmer, denn was würden die Leute sagen, wenn sie ihn aufgäbe? Was würden Nicos Eltern sagen? Was, wenn er nicht tot ist? Sie stellt sich ihre Gesichter vor. Und seines.

Lass das, mahnt sie sich selbst. Sie darf nicht zulassen, dass ihre Gedanken sie in die Irre führen. Es ist nichts geschehen. Und es wird auch nichts geschehen.

Als das Schweigen peinlich und unerträglich wird, packen sie ihre Sachen zusammen und reiten zurück.

Sorgsam beginnt Kendall auf dem Weg zur Ranch die Schritte ihres Pferdes zu zählen. Selbst bei tausend kann sie nicht aufhören. Sie beschließt, nicht aufzuhören, bis sie einen Falken schreien hört.

Nach zweitausend überredet sie sich dazu, aufzuhören, wenn sie eine Trauertaube oder einen Falken hört. Bei dreitausend verspricht sie sich, dass sie aufhören kann, wenn sie ein Moorhuhn oder ein blödes Kaninchen sieht. Bei 3842 kommt endlich das Kaninchen.

Doch auch das Kaninchen löst ihr Problem nicht.

Also beginnt sie wieder bei null mit dem Zählen.

Ihre Beklemmung wächst. Sie hasst das. Sie will nur noch nach Hause.

Sie bringen die Pferde in die Scheune, und Kendall sieht Jacián verlegen dabei zu, wie er sich um die Tiere kümmert, sie abreibt, ihnen Futter und Wasser holt und ihnen Decken auflegt.

Er blickt sie nicht an. Schließlich dreht sie sich um und geht allein zum Haus. Sie klopft an die Tür, und Mrs Obregon öffnet ihr. Vom Ofen her schlägt ihr ein herrlicher Duft entgegen. Da sie mittags nur ein paar Stücke Obst gegessen hat, knurrt ihr Magen laut.

»Möchtest du zum Essen bleiben?«, fragt Mrs Obregon, als sie ihr das Telefon reicht.

»Ja!«, bittet Marlena. »Bleib!«

»Ich sollte eigentlich nach Hause.« Kendall ruft ihre Mutter an und betet, dass sie abnimmt. Doch sie erhält keine Antwort.

»Hi, Mum«, sagt sie dem Anrufbeantworter und überlegt schnell. »Ich bin wieder bei Hector. Ja. Ähm. Es war schön. Hol mich einfach ab … egal wann …« Sie bricht ab. »Okay. Bis gleich!«

Kendall legt auf und lächelt mit einer Fröhlichkeit, die sie nicht verspürt.

»Meine Mum ist gleich hier. Ich warte draußen. Vielen Dank für … na ja, die Pferde und so. Für alles.«

Kendall dreht sich um, und Marlena und Mrs Obregon sehen ihr verdutzt nach.

Es wird gerade dunkel, als Kendall zwischen den Bäumen hindurchschlüpft und losrennt.

Sie sieht nicht, dass Jacián in der Auffahrt steht und ihr nachsieht.

Und sie weiß nicht, dass er spät am Abend an ihrem Haus vorbeifährt, als sie oben am Fenster steht und Nico weinend anfleht, ihr zu verzeihen.

Wir

Wieder allein, so lange. Dieses Mal warten Wir.
Dieses Mal sind Wir sicher. Diese Wärme, dieser
Herzschlag, dieses Leben ... wird zurückkehren.

Ich brauche dich.

22

Die ganze Nacht träumt Kendall von dem Pult und von Nico. Am Sonntag schläft sie lange, wacht aber mit einem Schrecken auf und fragt sich, was ist ... wenn Nico, wo immer er auch ist, versucht, ihr eine Nachricht zu schicken? Was ist, wenn es nicht ihre Einbildung oder ihre Trauer oder ihre Zwangsneurose ist, sondern wenn es echt ist?

Orientierungslos setzt sie sich auf. In ihr Zimmer fällt heller Sonnenschein.

Was ist, wenn Nico tatsächlich irgendwie mit ihr kommunizieren kann? Und wenn sie die ganze Zeit über seine Hilferufe ignoriert hat?

Doch als sie unter der Dusche steht, lacht sie wieder darüber.

»Fletcher«, mahnt sie sich, »reiß dich gefälligst zusammen, ja?«

Während sie sich anzieht, fragt sie sich, ob sie nicht doch noch einmal zu ihrer Hirnklempnerin sollte. Es ist nicht so, dass sie die Ärztin nicht mag. Sie hat ihr in den schweren Zeiten wirklich geholfen. Aber Kendall hat das Gefühl, als sei das ein Rückschlag. Was es vielleicht auch ist.

»Kann wahrscheinlich nichts schaden, mal wieder hinzugehen«, murmelt sie.

Kendall ist allein zu Haus und isst einen Muffin, während sie das Geschenk für Marlena einpackt – ein Paar Ohrringe mit kleinen Topasen. Aus Langeweile beschließt sie, ein paar Kekse zu backen, die sie mit zur Party nehmen will.

Um zwei Uhr zappt sie durch die Fernsehkanäle, schaut sich Fernsehprediger, Werbung und Cartoons an. Sie geht nach draußen, um nachzusehen, ob ihre Eltern zurückkommen, aber dort ist niemand außer der Vater des blöden Brandon, der am Wochenende bei der Ernte hilft. Also geht sie wieder hinein und wartet weiter.

Sie haben es bestimmt vergessen.

Um Viertel vor drei klingelt das Telefon.

»Hallo?«

»Wo bist du?«, erkundigt sich Marlena schmollend.

»Ich warte darauf, dass meine verehrten Eltern zurückkommen, damit sie mich fahren können. Ich glaube, sie haben es vergessen.« Im Hintergrund kann sie Musik und Gelächter hören.

»Warum hast du denn nicht angerufen? Jacián holt dich ab. Jacián!«, schreit sie am Telefon vorbei. »Geh und hol Kendall ab!«

»Nein, schon gut …«

»Er ist schon unterwegs. Kein Problem.«

Seufzend legt Kendall auf, schreibt ihren Eltern eine Notiz, nimmt den Mantel, das Geschenk und die Kekse und wartet vor der Tür.

»Danke«, sagt Kendall beim Einsteigen. »Tut mir leid.«

Jacián trägt eine Schürze und riecht nach Rauch. Doch er winkt nur ab und rast zurück zur Ranch.

Kendall hält sich an der Armlehne fest. »Willst du unbedingt einen Strafzettel bekommen?«

Jacián zuckt mit den Schultern.

»Der Sheriff sitzt bei uns zu Hause, trinkt Margaritas und isst Carne asada, und mir brennen wahrscheinlich die Paprika an.«

»Du kochst auch?«

»Nein, ich grille. Kochen kann ich nicht.«

Er rast die Einfahrt entlang, parkt neben ein paar anderen Fahrzeugen und springt aus dem Wagen, kaum dass er den Motor abgestellt hat. Im qualmerfüllten Hof brennt ein offenes Feuer mit einem großen Grill darüber. Jacián greift sich eine Zange und beginnt verkohlt aussehende Sachen darauf umzudrehen.

Kendall sieht ihm einen Moment lang zu, dann geht sie ins Haus und begrüßt Marlena mit einer Umarmung. Eli, Travis und der blöde Brandon sind auch da, sowie ein paar Elftklässler und die Mädchen aus der Zehnten, mit denen sich Marlena angefreundet hat. Alle unterhalten sich lautstark, und im Hintergrund spielt lateinamerikanische Musik. Mindestens ein Viertel der Einwohner von Cryer's Cross sind hier. Mrs Obregon steht am Mixer und macht Drinks für die Erwachsenen, während Hector den Minderjährigen Softdrinks serviert.

Kendall nimmt sich eine Cola und schlängelt sich durch die Menge. Viele Eltern sind hier, sogar die von Nico. Kendall hat ein schlechtes Gewissen, weil sie sie in letzter Zeit nicht besucht hat. Sie geht zu ihnen, um sie zu begrüßen. Sie sehen schrecklich aus.

»Hallo Mr und Mrs Cruz.«

»Hallo Kendall, Liebes«, antwortet Mrs Cruz. Sie umarmt sie lange. »Sind deine Eltern auch hier?«

»Nein, noch nicht. Sie mussten wohl erst noch etwas auf der Farm erledigen.« Unwillkürlich muss sie Mrs Cruz' Augenringe betrachten. »Wie geht es Ihnen?«

Nicos Mutter zuckt mit den Schultern. In ihren Augen glitzert es. »Ich denke, das kannst du dir vorstellen.«

Kendall nickt, und einen Augenblick bleiben sie schweigend stehen und sehen sich verlegen um. Es gibt nichts zu sagen.

»Es ist schön, dass Sie gekommen sind.«

Mr Cruz nickt. Er sieht noch grauer aus als sonst.

»Wir mussten einfach mal raus. Es war nett, uns einzuladen.« Er sieht ins Leere. »Ich glaube, ich helfe Mr Obregon mit ... er kann bestimmt Hilfe brauchen.«

»Und ich habe Carmelita versprochen, ihr beim Servieren zu helfen«, sagt Mrs Cruz. »Schön, dich zu sehen, Kendall.«

Kendall lächelt angespannt zurück. »Ja, freut mich auch.«

»Das war peinlich«, erklingt eine Stimme hinter ihr.

Sie dreht sich um und erblickt Eli Greenwood und seufzt erleichtert.

»Ja, allerdings. Es ist jetzt so merkwürdig. Ich weiß einfach nicht, was ich zu ihnen sagen soll.«

»Bei Tiffanys Eltern ist es dasselbe.«

»Oh nein. Sind sie auch hier?«

»Nein, sie haben gesagt, sie schaffen es nicht.«

»Es muss echt hart sein, zu so etwas zu kommen. Ich bin überrascht, dass die Cruz gekommen sind. Uns alle hier so zu sehen ...«

Sie beobachten einen Moment lang die Menge, dann wandert Kendalls Blick in den Hof, wo Jacián am Feuer steht. Er wendet Tortillas in einer kleinen gusseisernen Pfanne.

»Und wie ist das Essen?«

»Ausgezeichnet. Du musst unbedingt etwas davon essen. Hier, ich helfe dir«, sagt er grinsend. »Dann kann ich mir dabei auch selbst gleich noch eine Portion holen.«

Sie beladen ihre Teller mit Essen und gehen hinaus auf die Terrasse, wo sie mehr Platz haben und es nicht so laut ist. Auch Hector ist draußen und sitzt mit Elis Großvater zusammen. Marlena und die Zehntklässlerinnen stehen ein paar Schritte weiter weg, essen und unterhalten sich. Ein paar von ihnen beobachten Jacián aufmerksam, und plötzlich verspürt Kendall einen lächerlichen Stich Eifersucht. Sie schiebt sich mit wütendem Blick einen weichen Taco in den Mund.

»Also, dein Bruder …«, versucht es eines der Mädchen bei Marlena. Die anderen kichern.

»Was ist mit ihm?«

»Er ist so nachdenklich und süß.«

»Er hat eine Freundin«, erklärt eine der anderen. »Also vergiss es.«

Marlena kaut heftig und wedelt mit der Hand vor dem Mund, als könne sie dadurch das Essen verschwinden lassen. Dann schluckt sie und sagt: »Nein. Er ist Single. Letzte Woche hat er mit seiner Freundin Schluss gemacht.«

Die Mädchen seufzen laut genug auf, dass Jacián zu ihnen hinübersieht. Als sie wieder zu kichern anfangen, wendet er sich stirnrunzelnd wieder ab.

Kendall klappt der Mund auf. Sie fragt sich, warum er das gestern nicht erwähnt hat, als ihr kleiner Reitausflug so unangenehm wurde, und weiß nicht, was sie davon halten soll.

Eli verdreht die Augen.

»Verdammt«, meint er, »der Junge macht es einem hier auch nicht leichter.«

Kendall legt dem Freund einen Arm um die Taille.

»Ach was, Süßer, keine Angst«, beruhigt sie ihn. »Sie werden irgendwann über ihn hinwegkommen und dann kannst du zuschlagen.«

Eli muss lachen.

»Ich habe hier genug zugeschlagen. Ich glaube, ich muss mich woanders umsehen. Hier sind zu viele Jungs und zu wenig Mädchen.« Er zuckt mit den Schultern. »Wohin gehst du aufs College? Weißt du das schon?«

Kendall seufzt.

»Nein, weiß ich nicht. Vielleicht bleibe ich einfach hier.«

»Sei nicht albern, Kendall.«

»Was? Warum?«

»Du bist echt clever und talentiert. Sieh zu, dass du von hier verschwindest.«

»Aber was ist, wenn …«

Eli sieht sie an.

»Wenn was? Wenn Nico zurückkommt und du nicht hier bist? Sieh mal … es fällt mir schwer, das zu sagen, weil ich weiß, dass es wehtut, aber das ist unwahrscheinlich. Die Chancen, dass wir ihn je wiedersehen … Nun, du kennst die Statistiken. Und selbst wenn er zurückkommt, dann gibt es viele Möglichkeiten, dich das wissen zu lassen. Vielleicht bekommst du ja sogar ein Handy, wenn du erst mal hier weg bist.«

Kendall stellt den Teller auf den Holzboden. Was er sagt, schmerzt zwar, aber er hat recht. Wieder schießen ihre Gedanken kreuz und quer durch ihren Kopf.

»Und«, fragt sie in dem Versuch, sie zu bändigen, »auf welches College gehst du?«

»Vassar.«

»Im Ernst?«

»Ja. Da gibt es jede Menge Frauen.«

Kendall muss lachen.

»Schön für dich. Bist du angenommen worden?«

»Ja.« Eli sieht zu Boden und wird rot. »Neulich habe ich die Zusage bekommen.«

»Das ist cool!« Kendall umarmt ihn herzlich. »Ich freue mich wirklich für dich.«

»Danke. Willst du mit mir rumknutschen?«

Sie lacht. »Nein, nicht mehr seit jenem unglücklichen Vorfall beim Flaschendrehen in der sechsten Klasse im Keller von Brandon, dem Blödmann.«

»Hab ich mir gedacht, aber ich wollte es wenigstens versuchen.« Eli wischt den letzten Rest Salsa von seinem Teller und leckt sich die Finger ab. »Und jetzt zum Dessert. Ich habe gehört, es gibt Torte. Und Kekse.« Er zwinkert ihr zu.

»Na, dann los!« Kendall sieht ihm lächelnd nach, als er nach drinnen geht, und wendet sich dann wieder ihrem Teller zu. Sie schaut erneut zu Jacián hinüber, und diesmal starrt er sie aufmerksam an. Als er ihren Blick bemerkt, wendet er sich ab und wirft entschlossen die verbrannten Paprika in eine Papiertüte.

Kendall hat plötzlich keinen Appetit mehr, legt die Gabel weg und bringt ihren Teller hinein.

Drinnen wird mittlerweile getanzt. Marlena braucht mit ihrer Beinschiene immer noch Krücken, daher kommt Tanzen für sie nicht infrage. Kendall setzt sich eine Weile zu ihr und ihren Freundinnen aufs Sofa, doch nach ein wenig Überredung macht sie schließlich mit.

Ihr Adrenalinpegel steigt. Es tut so gut, nach wochenlanger Abstinenz einmal wieder zu tanzen. Während der Nachmittag langsam in den Abend übergeht, räumen die angetrunkenen Erwachsenen die Möbel aus dem Wohnzimmer, und die Party geht erst richtig los.

Kendall tanzt mit Hector und Eli, obwohl er echt schlecht ist und ihr ständig auf die Füße tritt. Sie bekommt viel Applaus von den Gästen. Es macht so viel

Spaß, und sie fragt sich wirklich, warum es in der kleinen Stadt nicht mehr Partys gibt. Diese blöden Kartoffeln.

Je später es wird, desto mehr Leute hören auf oder gehen gleich ganz nach Hause, aber Marlena ruft Kendall zu, sie solle noch bleiben und weiter tanzen. Die anderen Mädchen kommen zu ihr auf die Tanzfläche, und es wird ein wenig wild. Als eine von ihnen bei einer Drehung stolpert, legt Hector einen sexy Paartanz auf, um die Singles von der Tanzfläche zu bekommen. Es ist ein perfekter Salsa.

Hector hat sich ausgeklinkt, weil er meint, er sei zu alt und zu müde dafür. Von den Jungen hat keiner eine Ahnung, wie man Salsa tanzt, deshalb stellt sich Kendall an die Tür und sieht Mr und Mrs Obregon zu. Auch ein paar andere machen mit, aber in Cryer's Cross gibt es nicht viele, die diesen Tanz beherrschen.

Einen Augenblick später kommt Jacián zum ersten Mal seit Beginn der Party ins Haus. Er hat ein frisches weißes T-Shirt an und geht auf seine Eltern zu.

»He, Mama!«, ruft er lächelnd. Lachend winkt sie ihn heran. Jacián übernimmt den Platz seines Vaters und nimmt seine Mutter an der Hand.

Den Mädchen im Zimmer bleibt der Mund offen stehen, als er sich fast perfekt im Takt der Musik bewegt. Als er einen Fehler macht, grinst er nur, und seine Mutter lächelt zurück.

Kendall starrt ihn an.

Mr Obregon stellt sich neben sie.

»Nicht schlecht, mein Junge«, stellt er stolz fest. Er hat einen starken Akzent, stärker und anders als der von Hector. Seine Stimme ist ebenso warm und nur ein wenig reifer als die von Jacián.

Kendall muss schwer schlucken. »Wo hat er denn das gelernt?«

»Es gehörte zu seinem Fußballtraining. An seiner alten Schule mussten alle Fußball-, Basketball- und Rugby-Teams tanzen lernen. Das macht sie zu besseren Spielern.«

»Beeindruckend«, erklärt Kendall. *Kein Wunder, dass er sich auf dem Feld so fließend bewegt,* denkt sie. Das Zwicken in ihrem Bauch wird stärker. Sie hat den Eindruck, sie sabbert. Und gegenüber stehen Nicos Eltern und beobachten sie. Kendall reißt den Blick von Jacián los, geht durch die Leute hindurch zur Tür und schlüpft durch den Gang hinaus nach draußen, wo sie wieder Luft bekommt. Durch das Panoramafenster wirft sie noch einen letzten Blick auf Jacián, dann geht sie in den Hof. Die kühle Abendluft fühlt sich gut an auf ihrer schwitzigen Haut. Sie geht am noch glühenden Feuer vorbei zum Pferdestall. Es riecht nach Herbst, und unter ihren Füßen rascheln Blätter. Sie genießt die dunkle Nacht und die hellen Sterne, die völlige Windstille.

Der Pferdestall ist nachts abgeschlossen. Angesichts der seltsamen Dinge, die in Cryer's Cross in letzter Zeit vorgefallen sind, scheint das logisch. Kendall lässt sich ins Gras sinken und lehnt sich an die Scheune, um in die Nacht zu starren und nachzudenken.

Über alles. Nico. Das College. Jacián und wie sie sich in letzter Zeit in seiner Nähe fühlt. Und sofort kehren die Schuldgefühle zurück und hämmern auf sie ein.

Und dazu kommt noch diese verrückte, übernatürliche Sache mit dem Tisch. Jetzt, wo sie allein ist, fragt sie sich wieder, ob daran nicht doch vielleicht irgendetwas Reales ist. Was, wenn es wirklich Nico ist? Wenn er in der Schule gefangen ist und irgendwo gefesselt liegt – in der Gewalt des alten Mr Greenwood? Und nachts darf er in der Schule herumstreifen und Kendall Nachrichten hinterlassen?

Aber warum dann nicht auf Kendalls Tisch? Und wenn Nico das geschrieben hat, wie kommt es dann, dass es aussieht, als stünde es schon jahrelang da? Warum sollte er das wollen?

Kendall glaubt die Antwort zu kennen. Sie ist sich verdammt sicher.

Denn dieser Tisch ist besessen. Er sorgt dafür, dass Leute verschwinden.

Und vielleicht sind auch die Leute besessen, die ihn berühren.

Langsam dämmert es ihr. Es gibt keinen Kidnapper. Es gibt absolut keinen Grund für dieses lächerliche Partnersystem. Kendall könnte mitten in der Nacht splitterfasernackt durch Cryer's Cross laufen, ohne dass jemand sie entführt.

Es ist kein Jemand.

Es ist ein Etwas.

Sie schaudert heftig.

»Fletcher, du bist irre«, weist sie sich selbst zurecht. »Hör auf damit!«

Ein Zweig knackt, als hätte ihr Ausbruch jemanden aufgeschreckt. Kendall fährt herum und springt auf. Sie sieht mit klopfendem Herzen ins Dunkle. So dicht wie möglich drängt sie sich an die Stallwand, als könne ihre Größe und Stabilität ihr Kraft geben.

Eine Gestalt taucht auf und bleibt abrupt stehen, als sie sie bemerkt.

Kendall erstarrt.

»Wer ist da?«

»Ich bin es nur«, antwortet Jacián. Im Dunkeln kommt er auf sie zu. »Deine Eltern sind da und machen sich Sorgen, weil sie dich nicht finden können.«

»Oh.«

»Ich habe gesagt, ich wüsste, wo du bist und dass es dir gut geht.«

»Oh«, macht sie noch einmal. Verwirrt. »Woher denn?«

»Ich habe dich hinausgehen sehen.« Einen Moment bleibt er stehen. »Du solltest lieber wieder hineingehen und das beweisen, damit ich nicht schon wieder verhört werde. Zum dritten Mal.«

Damit dreht er sich um und will zurückgehen.

»Jacián«, hält Kendall ihn auf.

»Was ist?«

Sie läuft ihm nach, und als sie ihn eingeholt hat, weiß sie nicht, was sie eigentlich sagen will, nur, dass sie nicht will, dass er weggeht.

»Du tanzt gut.«

»Du auch.«

Seine Stimme ist rau vom Rauch des Feuers.

»Das hast du gesehen?«

Sein Schweigen ist Bestätigung genug.

Kendall schiebt die Hände in die Jeanstaschen. Sie friert ein wenig.

»Wann hast du mit deiner Freundin Schluss gemacht?«

Er schweigt einen Augenblick. »An dem Abend, an dem ich zu eurem Haus gegangen bin. Es war schon seit Monaten vorbei, schon als ich umgezogen bin. Wir haben nur sehr lange gebraucht, um es auszusprechen.«

»Warum hast du mir das nicht gesagt?«

Er steckt die Hand in die Tasche und sieht in den Himmel.

»Ich hatte nicht das Gefühl, dass es für dich einen Unterschied machen würde.« Er dreht sich wieder um und geht zum Haus zurück, schneller diesmal.

»Jacián«, ruft sie wieder und läuft ihm nach. »Warte!«

»Was ist denn noch?«

»Ich … es ist nur …« Sie nimmt seinen Arm und spürt, wie ihr Herz schlägt.

Er bleibt stehen und dreht sich zu ihr um. »Willst du mich wieder schlagen?«

»Ja.« Sie bekommt kaum Luft.

Er steht einen Moment still, dann legt er seine Hand in ihren Nacken. Seine Finger fahren durch ihre Haare, und Kendall spürt seinen Atem auf ihrem Gesicht. Er presst seine Lippen auf ihre und zieht sie dicht an sich heran.

Kendall kann nicht mehr denken. Sie greift nach seinem Hals, nach seinem Gesicht, vorsichtig, lässt die Hände auf seine Brust gleiten und krallt sie in sein T-Shirt. Sie kann nicht atmen, sie will es auch gar nicht. Sie will nur einfach alles vergessen.

Abrupt löst er sich von ihr.

»Was willst du, Kendall? Bist du bereit dafür? Ich glaube nicht, dass du es bist.«

Sie schnappt nach Luft und tritt einen Schritt zurück.

»Mist«, sagt sie. »Es tut mir so leid.«

»Mir auch.«

»Du verstehst, dass ich nicht kann …«

Er schließt müde die Augen, holt tief Luft, stößt sie langsam wieder aus und wendet sich ab.

»Du kannst nicht«, sagt er. Er klingt verbittert. »Du kannst gar nichts, wegen deines vermissten Freundes. Klar, verstehe ich. Du willst nur ein wenig kosten, nur ein kleines bisschen, damit du weiter trauern kannst, ohne allzu viel zu verpassen. Was ist daran so schwer zu verstehen? Abgesehen von der Tatsache, dass ihr beide eher Bruder und Schwester als ein Paar wart.« Er wartet nicht auf eine Reaktion von ihr. »Das habe ich auf den ersten Blick gesehen.«

»Du hast doch keine Ahnung«, gibt Kendall zurück.

»Vielleicht solltest du von jetzt an mit jemand anderem zur Schule fahren. Wie wäre es mit deinem anderen Freund, Eli?«

»Bist du jetzt eifersüchtig auf Eli?«, stößt sie hervor. Doch dann reißt sie sich zusammen. »Sein Auto ist schon voll. Und vielleicht hast du recht mit Nico und mir, aber ich kannte es eben nicht anders.« Sie beißt sich auf die Lippe. Sie kann ihn immer noch schmecken und hasst sich selbst dafür, dass sie ihn noch einmal küssen will. Leise sagt sie: »Jacián, ich weiß nur, dass Nico nie solche Gefühle in mir ausgelöst hat wie du. Das hat noch nie jemand.«

Jacián bleibt einen Augenblick lang stehen, gequält, fährt sich mit den Fingern durch die Haare und geht zum Pferdestall zurück.

»Verdammt, Kendall! Lass es! Ich kann das nicht.« Er schluckt hart und sieht weg. »Wenn du das tust, bin ich derjenige, der schlecht aussieht.« Er blickt in die Dunkelheit, doch er klingt entschlossen. »Ich kann nicht auf ewig der böse Kerl hier sein.«

Er wendet sich ab und verschwindet in der Dunkelheit.

Kendall geht wie betäubt zum Haus zurück.

Wir

Wir schlummern, lauern, bewahren Unsere Kraft
für den großen Tag. Mal witternd, mal schaudernd.
Fünfunddreißig, einhundert. Fünfunddreißig,
einhundert.

Erlösung naht.

23

Als Kendall einschläft, denkt sie an Jacián, doch in der Nacht träumt sie wieder von Nico, der verzweifelt versucht, über das Pult Kontakt mit ihr aufzunehmen. Er bittet, weint, fleht sie an, ihn zu suchen und zu retten.

Als sie erschöpft und immer noch müde aufwacht, ist sie völlig durcheinander, was ihre Gefühle in Bezug auf Jungen, Leben und Tod angeht. Es ist alles so kompliziert. Ihr ist nur klar, dass sie es noch einmal versuchen muss. Sie muss noch einmal an Nicos Tisch zurück. Denn wenn sie das nicht tut, dann wird sie immer das Gefühl haben, an seinem Tod schuld zu sein, weil sie ihn hätte retten können, wenn sie nur nicht so dickköpfig gewesen wäre.

Die Fahrt zur Schule verläuft schweigsam. Marlena sitzt in der Mitte, mit leichter Übelkeit vom Geburtstagskuchen, lehnt den Kopf an die Kopfstütze und jammert, wie müde sie ist. Jacián fährt mit versteinertem Gesichtsausdruck. Kendall leidet. Sie haben alle aus unterschiedlichen Gründen zu wenig geschlafen.

Kendall weiß, was auch immer am Abend zuvor geschehen ist, wird nie wieder passieren. Sie ist Nico treu. Sie muss es sein. Egal, was ist. Zumindest, bis jemand herausfindet, was mit ihm passiert ist. Sie bewegt sich mechanisch.

Jacián spricht nicht mit Kendall. Energisch absolviert

sie ihre Morgenrituale und setzt sich dann wie magisch angezogen an Nicos Pult, ohne auch nur so zu tun, als wolle sie zuerst an ihrem eigenen Platz nachsehen.

Als sie die neu eingeritzten Worte entdeckt, ist sie nicht wirklich überrascht. Sie lässt sich in diese Welt ziehen, leistet dieses Mal keinen Widerstand. Sie nimmt die Worte auf, streicht mit den Fingern darüber und hört Nicos Stimme. Sie legt die Wange auf den Tisch, das Gesicht von Jacián abgewendet. Ein Kloß steigt ihr in den Hals, als sie die kurzen Sätze mit Nicos Stimme hört.

Rette mich. Ich lebe.

Sag ja. Ich brauche dich.

Komm zurück.

»Ich bin zurück«, flüstert sie. »Ich bin hier.« Es ist ihr egal, alles ist ihr egal. »Ja, Nico.«

Langsam spürt sie, wie etwas ihren Körper besetzt und die Leere darin füllt.

Im Laufe des Morgens wird Nicos Stimme lauter und verzweifelter. Immer wieder fleht er Kendall an, ihn zu retten, zu ihm zu kommen. Sie kann sich nicht lösen. Sie will es auch nicht. Sie verharrt endlos in jenem kurzen Augenblick vor dem Einschlafen, diesem süßen Moment, in dem nichts anderes eine Rolle spielt. Geräusche, Zwänge, all das ist in weite Ferne gerückt. Hier, erkennt sie … hier ist wirklich der Ort, an dem ihr Kopf nicht über ihre Welt herrscht.

Während Kendall stundenlang dem Klang von Nicos Stimme lauscht, verändert sich etwas. Seine Stimme wird immer eindringlicher, tiefer, dunkler – als wäre sie in ihr drin. Ein Teil von ihr. Mit der Zeit realisiert sie, dass sie nicht einmal mehr wie Nico klingt. Und noch eine weitere Stimme mischt sich darunter, wie in einem Kanon singt sie *fünfunddreißig, einhundert. Fünfunddreißig, einhundert.* Aber in dieser schwebenden Welt ist das nicht mehr von Interesse. Sie ist gefangen. Und es ist ihr egal.

Plötzlich verändern sich die Worte.

Sie wirbeln flüsternd durch ihren Körper. Eisig und gehetzt. Stark. Mit voller Wucht.

Komm zu mir.
Heute Nacht.
Sag es niemandem!
Nur du kannst mich retten.

Fünfunddreißig, einhundert. In ihrem surrealen Zustand schaudert Kendall. Es ist, als wäre plötzlich alle Wärme aus dem Raum abgezogen worden. Und immer noch ist sie dort gefangen, es gibt nichts außer der neuen, seltsamen Stimme. Sie ist gefangen von dem faszinierenden Gefühl, diesem verführerischen Klang. Sie schwebt zitternd, die Kälte kommt von innen, und sie ist unfähig, sich allein davon zu lösen. Sie will es nicht einmal mehr versuchen. Sie ist eins mit der Stimme.

Sie weiß, wie es sein wird. Sie sieht es jetzt. Hinter ihren geschlossenen Augenlidern tauchen Bilder auf: ein Schotterweg, hohes Gras, verschlungene Weinranken, ein Zaun … Hinweise darauf, wo sie hingehen muss. Sie akzeptiert es. Akzeptiert ihr Schicksal, dass sie diejenige ist, die etwas opfern muss, damit sie Nico retten kann.

Sie sollen sie haben. Sie sollen ihren Willen bekommen. Es ist der richtige Weg.

***

Als Marlena sie am Ende des Schultages wachrüttelt, erhebt sie sich träge und nimmt ihre Sachen.

»Ist alles in Ordnung?«, fragt Marlena besorgt.

Jacián gelingt es nicht, Kendall völlig zu ignorieren.

»Ich bin nur so müde«, bringt Kendall undeutlich hervor. Und so ist es auch. Sie hat das Gefühl, als hätte sie eine Woche lang nicht geschlafen. Doch sie ist noch wach genug, um zu wissen, dass sie nur eine Aufgabe hat, auf die sie sich konzentrieren muss, ein Ziel, bevor alles vorbei ist. Eine Regel – sie muss heute Nacht zurückkommen, um ihn zu retten. Und sie darf es niemandem sagen.

Sonst stirbt Nico.

Auf ihre Bitte hin setzen Jacián und Marlena Kendall zu Hause ab. Sie läuft in ihr Zimmer und lässt sich aufs Bett fallen, um von ihrem Wiedersehen mit Nico zu träumen.

Sie stellt sich alles vor, als sei das Pult in ihr und füttere ihre Gedanken. Die hintere Fassade der Schule mit der unverschlossenen Kellertür, durch die sie problemlos ins Schulgebäude kommt. Und der Ort, an dem Nico ist … Er ist düster und unheimlich, voller wallender Nebel. Große Bäume und dichtes Gebüsch, durch das man nicht hindurchkommt. Ein verrostetes Eisentor, begraben unter Tausenden von gewundenen, verschlungenen Weinranken.

Bevor es dunkel wird und ihre Eltern von der Arbeit zurückkommen, rafft Kendall sich aus dem Bett hoch und geht zum Geräteschuppen, um sich die Sachen zu holen, die sie brauchen wird. Sie wählt eine Taschenlampe, eine Schaufel und eine Heckenschere und kehrt damit in ihr

Zimmer zurück. Sie verstaut alles in einem Leinensack, den sie unter ihr Bett schiebt.

Sie fühlt sich schwach, weil sie nichts gegessen hat, aber auch zu schwach, um etwas zu essen zu holen, wodurch es ihr besser gehen würde. Also bleibt sie oben, um davon zu träumen, was bei ihrem Wiedersehen mit Nico geschehen wird. Bald. Als ihre Mutter nach ihr sieht, sagt Kendall, dass sie sich nicht wohlfühlt.

Sie zieht ihren Schlafanzug an und gibt vor, ins Bett zu gehen.

Komm zu mir, klingt es in ihren Ohren.

Sie schläft nicht.

Um elf Uhr, als ihre Eltern fest schlafen, steht Kendall auf und nimmt den Leinensack. Am Fenster bleibt sie stehen, zögert und winkt Nicos Haus ein letztes Lebewohl zu.

»Wir sehen uns bald«, flüstert sie.

Sie schleicht aus dem Haus, schließt die Tür hinter sich und zieht sich draußen auf der Treppe ihre Stiefel an.

Kalter Wind schlägt ihr ins Gesicht. Es riecht nach Schnee. Der Wind erschüttert ihren Körper, beinahe genug, um ihr Gehirn in Alarmzustand zu versetzen. Etwas nagt an ihr, als solle sie lieber nicht allein hier draußen herumlaufen, aber sie schiebt den Gedanken beiseite. Sie wird jetzt Nico retten. Das ist ihr Ziel. Leise sagt sie es vor sich hin, während sie immer einen Fuß vor den anderen setzt, immer einen Fuß vor den anderen.

»Ich werde jetzt Nico retten. Ich werde jetzt Nico retten.«

Ihr Blick ist starr auf ihre Stiefel gerichtet, während sie stolpernd weitergeht.

Doch sie überquert das Feld entschlossen und hält sich von der Straße fern, um nicht gesehen zu werden. *Sag es niemandem.* Zwanzig Minuten später hebt sie die Keller-luke hinter der Schule hoch und betritt einen Gang aus gesprungenem Beton. Ihre Haare streifen niedrig hän-gende Spinnweben. Sie geht vorbei am Lagerraum, wo sie die riesigen Schatten von ungenutzten Ersatztischen bedrohen. Dann steigt sie die Treppe zum Hauptgeschoss hinauf und betritt das Klassenzimmer. Sie wischt sich ein Spinnennetz aus dem Gesicht und bleibt vor Nicos Pult stehen.

Sie zittert unkontrolliert in ihrem Pyjama. Einen kur-zen Augenblick lang zögert sie, und ihr Gehirn ruft ihr die Bilder vor Augen, als sie beim Fußballspielen mit Jacián zusammengestoßen ist, nachdem sie das letzte Mal an Nicos Pult gesessen hatte. Macht sie vielleicht einen Fehler?

»Nein!«, ruft sie in den dunklen Raum und schiebt die Erinnerung beiseite. Sie muss Nico retten – sie muss! Vor-sichtig streicht sie mit den Fingern über den Tisch, um die Stelle herum, wo sich die Schrift verändert. Sie legt die Hand darüber, als wolle sie die Worte wie Medizin in sich aufnehmen. Im Dunkeln kann sie die Botschaft nicht lesen, aber das Flüstern sagt ihr alles.

Scharf und zornig, voller Bosheit, stellt die Stimme ihre Forderungen. Die eingeritzten Worte brennen wie Stromschläge an ihren Fingern.

Such mich, bevor sie mich umbringen!
Tief in den Wäldern hinter Cryer's Pass.
Beeil dich! Rette meine Seele!

Kendall keucht und reißt die Hand fort. Es brennt an ih-ren Fingern.

»Nico?«, fragt sie die zornige Stimme. »Warum sprichst du so mit mir?«

Doch sie bekommt keine Antwort.

Und er ist in Gefahr.

Kendall weiß, dass sie gehen muss.

Sie stolpert wieder zurück, verlässt den Keller und geht die Straße entlang. In Cryer's Cross schläft alles. Ihr Morgenmantel flattert um ihren Körper, und der Wind pfeift durch den dünnen Stoff. Ihre Füße, die barfuß in den Stiefeln stecken, sind eiskalt. Von einem neuen Instinkt geleitet, beginnt sie zu rennen. Die Stimme in ihr summt zufrieden. Sie presst den Leinensack mit ihrem Werkzeug fest an sich. Hinter Hectors Ranch kürzt sie ab, um außer Sichtweite des Hauses zu bleiben, und nimmt dann den Pfad, den sie mit Jacián zusammen geritten ist. Sie folgt ihm ein kurzes Stück bis zu einer Gabelung, nimmt den anderen Weg und rennt, so schnell sie kann, stolpernd und mit klappernden Zähnen. Ihre Haut brennt und juckt von dem beißenden Wind, ihre Beine schmerzen wegen der unbequemen Stiefel.

Nach einer gefühlten Stunde erreicht Kendall den Cryer's Pass, eine Straße für Quads oder Pferde, die sich den Bergrücken hinaufschlängelt. Sie hat Seitenstechen. Anstatt über den Pass zu gehen, biegt sie abrupt in den Wald ab. Immer noch rennt sie, springt über Büsche, Wurzeln und Weinranken, bis sie stolpert und auf ihren Beutel fällt. Die Heckenschere bohrt sich durch den Stoff in ihren Oberarm. Einen Moment bleibt sie wie betäubt sitzen und ringt nach Atem, aber sie hat keine Zeit, danach zu sehen, keine Zeit, die Blutung zu stoppen. Kendall steht wieder auf und stolpert durch den Wald.

»Nico!«, schreit sie. »Nico, wo bist du?«

Wieder beginnt sie zu rennen, doch bald wird das unmöglich. Also geht sie langsamer weiter, ungelenk und unter Schmerzen zwängt sie sich durch Gebüsch und den Wald, der so dicht ist, dass sie beinahe auf Bäume klettern und sich von Ranke zu Ranke schwingen muss, um weiterzukommen.

»Nico!«, schreit sie. Die Stimme in ihrem Kopf wird lauter.

Finde mich, bevor er mich umbringt! Fünfunddreißig, einhundert.

Ihre Arme und Beine sind zerkratzt und brennen. Sie knickt um und fängt sich wieder, schwach vor Hunger, gestärkt durch die Stimme, die von ihr Besitz ergriffen hat. Als der dichte Wald ihr endgültig den Weg versperrt, beginnt sie, mit der Heckenschere Efeu und Zweige zu zerschneiden und aus dem Weg zu zerren. Sie schneidet und hackt und reißt und drückt die Schere zusammen, bis sie auf Metall stößt.

»Nico!«, schreit sie. »Nico!«

Wir

Die Wärme, das Leben. Fünfunddreißig, einhundert.
Ihr Herzschlag in Unseren Ohren. »Komm jetzt!«,
rufen Wir. Ein Teil von Uns ist nun in ihr. Dieses
Opfer, das unbequemste bis jetzt. Hier. Jetzt. Bereit,
eine weitere verlorene Seele zu erlösen, zu befreien.
Fünfunddreißig?

Nein.

EINHUNDERT.

24

Sie stolpert, als sie versucht, sich durch den Spalt zu zwängen, den sie zwischen den rostigen Eisenstäben in den Efeu und Wein geschnitten hat. Doch endlich schafft sie es, steht wieder auf und sieht sich im gespenstischen Mondschein um.

Hier sind weniger Bäume. Kleinere. Und das Gelände ist nicht ganz so überwuchert. Im Licht des Halbmondes kann Kendall ein großes, verfallenes Gebäude zu ihrer Linken erkennen und noch näher einen kleinen, eingestürzten Schuppen.

Sie nimmt die Taschenlampe und leuchtet umher. Sie befindet sich in einem Innenhof, der allerdings durch einen Eisenzaun vollständig umschlossen und sogar von den Gebäuden abgetrennt ist. In den Senken hinter dem Garten ruhen Nebelschwaden. Ein Vogel fliegt kreischend an ihr vorbei. Sie hört das Knarren der Bäume und das Rascheln anderer Tiere.

Rechts von ihr stecken zwei Dutzend weiße Markierungen im Boden. Kendall schwankt, sie fühlt sich durch die Macht der Stimme in ihr zu ihnen hingezogen. Zuerst widersetzt sie sich dem Befehl, verwirrt, doch dann gehorcht ihr Körper ruckartig. Ihre Beine sind schwer. Taumelnd schleppt sie sich über Erde und Sträucher.

Die Stimme gibt ihr Befehle. »Fang an zu graben«, wiederholt sie flüsternd und überrascht. »Fang an zu graben? Wo? Wo?«

Sie nimmt die Schaufel aus dem Beutel, die sie in die Mitte des Gartens führt, wo die Kreuze stehen.

»Nico!«, ruft sie. »Wo bist du?«

Sie hat jegliche Kontrolle über ihren Körper verloren. Mit den Stiefeln schiebt sie Äste und Blätter beiseite und legt die Erde frei.

Dann hebt sie die Schaufel und stößt die Spitze direkt vor einer der Markierungen in die Erde. Ihre kalten Hände schmerzen, und der Aufprall scheint bis in ihre Knochen widerzuhallen, doch sie stößt wieder zu, reißt die Erde auf und beginnt zu graben. Sie kann einfach nicht aufhören.

Die ausgehobene Erde häuft sie sorgfältig neben dem Loch auf. Nach ein paar Minuten tut ihr verletzter Arm weh. Ihre Hände zittern.

»Nico!«, ruft sie erneut, doch ihre Stimme verhallt, ohne dass sie eine Antwort erhält. Sie fängt an zu weinen, schreit immer lauter nach ihm, immer und immer wieder, während sie die Erde anhäuft. Ihr Rücken schmerzt. Sie zittert, ihre Zähne klappern, und doch stößt sie die Schaufel wieder in den Boden. Und wieder. Und wieder.

Als sie auf Knochen trifft und ein Stück davon mit der Schaufel aushebt, weiß sie, dass sie tief genug gegraben hat. Sie weiß jetzt, was sie zu tun hat, zu was die Stimme sie zwingt, damit sie Nico retten kann. Sie fällt auf die Knie. Ihre Stimme ist schon ganz heiser, dennoch ruft sie weiter seinen Namen.

»Ich bin hier, um dich zu retten! Nico, hilf mir!«

Sie setzt sich in das flache Grab, das sie gerade ausgehoben hat. Dann legt sie die Arme um die Erdhaufen, die sie daneben aufgeschichtet hat und zieht sie über sich, bedeckt Füße und Beine.

Entsetzt sieht sie sich selbst zu. Ein Teil von ihr kann nicht glauben, was sie tut, während ein anderer Teil es gar nicht schnell genug tun kann.

Sie begräbt sich lebendig.

Und sie kann nicht aufhören.

Langsam und methodisch, gleichzeitig entsetzt und euphorisch bedeckt sie ihren Körper mit Erde. Sie beginnt zu singen.

»Hilf mir. Rette meine Seele. Hilf mir. Rette meine Seele.«

Während sie ihre Oberschenkel und den Bauch mit Erde bedeckt, wird ihr Gesang zu Geschrei. Die Erde isoliert und wärmt sie. Sie beruhigt ihr Zittern, aber nicht ihre Schreie. Sie legt sich zurück und bedeckt ihre Brust, ihren Hals mit Erde. Sie schreit nach Nico, schreit, bis ihre Stimme erstickt wird von der Erde, die sie über ihr Gesicht wirft. Über der Erde ist nur noch ihre Hand zu sehen.

Und dann – als der Halbmond hinter dem verfallenen Gebäude verschwindet – ist plötzlich alles, wirklich alles wieder still auf dem Friedhof der Cryer's Besserungsanstalt für jugendliche Straftäter.

Eine gefangene Seele wartet auf ihre Erlösung.

Sie wartet. Und wartet.

Darauf, dass sie ihren letzten Atemzug tut.

25

Es ist immer noch dunkel, als sich die Erde bewegt.

Kendall ringt nach Luft. Sie spürt, wie sich in ihrem Kopf etwas regt. Sie weiß, dass irgendetwas an all dem furchtbar falsch ist. Die Stimmen haben gesagt, dass sie all dies tun muss, um Nico zu retten. Aber wo ist er? Und wie soll ihm das eigentlich helfen? Ihr zwangsgestörtes Gehirn beginnt zu arbeiten, und ein einzelner Gedanke schleicht sich ein. *Das ist falsch. Das ist falsch.* Sie beginnt zu zählen. Sie zählt ihre Herzschläge, zählt die Steinchen in ihrem Mund, die Minuten, die vergehen. Der Nebel in ihrem Kopf verzieht sich ein wenig. Genug. Gerade genug. Genug, um zu kämpfen.

Der Bann der Stimmen wird schwächer. Gerade genug. Mit ihrem freien Arm stößt sie die Erde von ihrem Gesicht, spuckt den Dreck aus und stößt einen letzten heiseren Schrei aus, bevor sie das Bewusstsein verliert.

»Jacián!«

Die Stimme in ihrem Kopf – nicht Nicos, es war nie die von Nico – schreit auf wie vor Schmerz.

26

Am Morgen regnet es.

Das Wasser wäscht ihr den Schmutz aus den Augen.

Die Stimme ist noch da, ruft ihr Befehle zu, doch sie weiß jetzt, dass es nicht Nico ist. Sie bekämpft sie mit ihrer eigenen Waffe, mit ihrem Werkzeug. Die wirbelnden Gedanken sind ihr auf einmal willkommen. Sie hat die Macht.

Zuerst kann sie sich nicht bewegen. Der Regen lässt das Grab wie eine Zwangsjacke erscheinen, als wäre sie mit breiten Gurten daran gefesselt. Sie kann nur den Kopf drehen. Und die Erde aushusten.

Im verregneten Morgenlicht kann sie klarer sehen. Und klarer denken. Die Markierungen sind weiße Kreuze. Die Knochen, die sie mit ihren Stiefeln berührt, sind alt. Dieser Ort ist verlassen. Aufgegeben. Gefangen in einer anderen Zeit. Das einzige Geräusch ist das von Regen auf Blättern, von Regen auf Erde, von Regen auf Haut.

Die Ereignisse des gestrigen Tages fallen ihr wieder ein, als sie wieder zu sich kommt und ihre Sinne wieder unter Kontrolle hat. Sie ordnet ihre wirren Gedanken.

»Oh mein Gott!«, schreit sie. »Was passiert hier?«

In Panik beginnt sie zu kämpfen. Das Entsetzen über das, was beinahe passiert wäre, und die Platzangst, die sie unter der nassen Erde bekommt, verleihen ihr die übermenschliche Kraft, die sie braucht, um sich daraus zu befreien. Sie krallt sich an den Seiten des Grabes fest und dreht sich hustend auf den Bauch.

Ihre Kehle schmerzt, sie friert, und ihr Körper ist übersät mit Kratzern und blauen Flecken. Sie hebt den Kopf und sieht sich auf dem überwucherten Hof um. Sieht jetzt alle Kreuze.

Vierundzwanzig.

In vier gleich großen Quadranten.

Mit Gängen zwischen den einzelnen Bereichen.

Die Erde auf den beiden Gräbern neben Kendall scheint ein wenig frischer zu sein. Aufgeworfen. Sie sieht näher hin und entdeckt eine verweste Hand und Knochen. Sie kriecht zu dem Grab hinüber, das ihr am nächsten ist, und fängt an zu graben.

Plötzlich hat sie lange braune Haare in der Hand – das ist nicht Nico. Könnte es Tiffany sein?

Kendall wird von dem Gestank auf diesem Friedhof überwältigt.

Sie hievt sich auf die Seite und kriecht zu dem anderen Grab hinüber. Beim Anblick der verwesten Hand reibt sie sich ungläubig die Augen. Die Hand scheint sich zu bewegen. Doch dann erkennt sie, warum.

Maden.

Sie wendet sich ab, der Anblick und der Gestank lassen sie würgen, und wieder erstickt sie fast an der Erde, die ihre Kehle reizt.

Mit letzter Kraft und blutigen Fingern gräbt sie erneut. »Bitte nicht, bitte nicht, bitte nicht!«, wiederholt sie leise weinend.

Sie schabt die Erde weg, fort von seinem schwarzen, aufgedunsenen Gesicht, und die weißblonden Haare bestätigen ihre schlimmsten Befürchtungen.

»Nein!« Der Schrei kommt tief aus ihrer Brust. Sie lässt sich schluchzend auf den Rücken fallen und weint. Weint, bis sie keine Tränen mehr hat. Sie rollt sich so weit wie möglich weg, bis ihre Kräfte sie verlassen.

Sie liegt dort, ruhig, und spürt weder Kälte noch Schmerz. Nichts spielt mehr eine Rolle.

Nico ist tot.

Als der Regen nachlässt und es langsam Abend wird, hört sie ein Geräusch.

»Kendall!«

Es scheint so weit weg.

Sie hat Wahnvorstellungen. Sie ist zu schwach, um zu rufen.

»Nico?«, stößt sie heiser hervor.

Um sie herum fällt der Regen. Alles ist dunkel.

Jemand hebt sie hoch, wickelt sie in einen Mantel, trägt sie, als sei sie ein Baby. Aus weiter Ferne hört sie noch andere Stimmen, die entsetzt aufschreien.

Sie gehen schnell. Ein Zweig schlägt ihr ins Gesicht, sie zuckt zusammen.

»Mist. Entschuldige.«

»Jacián«, flüstert sie. Jeder Atemzug lässt ihre Brust schmerzen. Sie bewegt sich in seinen Armen.

»Halt still, es ist noch ein ganzes Stück.«

»Sie sind tot.«

»Ja.«

Es schaukelt, als er zu laufen beginnt, nachdem sie den dichten Wald hinter sich gelassen haben. Und als sie schließlich wieder auf dem Pfad am Cryer's Pass ankommen, setzt er sie auf sein Quad und steigt hinter ihr auf. Er legt seine Arme um sie und fährt los zur Ranch.

»Es tut mir leid«, sagt er, »aber das wird ein bisschen holperig.«

»Wie hast du mich gefunden?« Sie lehnt sich an ihn, zu durchgefroren, um zu zittern. Zu erschöpft, um die Augen offen zu halten. Ihre Kehle fühlt sich an, als habe sie Glassplitter geschluckt.

Er zieht den Mantel eng um sie und hält sie beim Fahren fest. Sein warmer Mund ist dicht an ihrem Ohr.

»Sie haben sofort am Morgen mit der Suche begonnen, als deine Eltern gemerkt haben, dass du weg warst, gegen fünf Uhr. Gleich darauf sind alle in die Stadt gefahren. Wir werden viel zu gut bei so etwas.« Er hält sie fester und tritt aufs Gas, als sie an eine Lichtung kommen.

»Mir ist eingefallen, was du über den Tisch gesagt hast«, fährt er fort. »Klar, das war merkwürdig, aber ich hätte zu diesem Zeitpunkt alles versucht. Ich ärgere mich selbst, dass ich es nicht früher getan habe … Ach was, egal.« Er runzelt die Stirn. »Ich bin also in die Schule gegangen, um nach Hinweisen zu suchen. Der alte Mr Greenwood hat mich reingelassen. Ich habe mich an den Tisch gesetzt und die ganzen eingeritzten Worte gelesen. In der Mitte stand: *Tief im Wald hinter dem Cryer's Pass*. Fast hätte ich geglaubt, es habe nichts zu bedeuten, weil es so alt aussah, aber ich habe es meinem Großvater gegenüber erwähnt und da ist er fast in Ohnmacht gefallen. Er hat den Sheriff und den alten Mr Greenwood angerufen. Sie sind mit dem Pick-up hier heraus gefahren, aber sie sind unterwegs in den Ranken stecken geblieben. Deshalb fahren wir hiermit herum.«

Seine Stimme klingt weit entfernt, und die Stimme des Tisches lässt nicht von ihr ab. In ihrem Kopf ist alles matschig.

»Lass nicht zu, dass sie mich begraben«, murmelt sie.

»Oh Kendall.« Seine Stimme bricht. »Hat dir das jemand angetan? Hat dich jemand verletzt?«

Sie schüttelt den Kopf. »Nein. Es sind nur die Stimmen. Sie haben mich dazu gebracht … Dinge zu tun …« Sie schluchzt auf, dann schüttelt sie ein Hustenanfall.

»Stimmen? Meinst du …?«, beginnt er langsam. »Hast du etwas gehört, als du das Pult berührt hast?«

»Ja, die Stimmen.« Kendall fasst sich an die brennende Kehle.

»Ganz ruhig. Du kannst das alles erklären, wenn wir im Krankenhaus sind.«

Auf Hectors Ranch stellt Jacián das Quad neben der Scheune ab und trägt Kendall zu seinem Pick-up. Er startet den Motor, um die Heizung in Gang zu bringen, und macht dann vom Telefon in der Scheune aus einen kurzen Anruf bei Kendalls Eltern.

»Ich habe sie. Sie lebt. Ich bringe sie nach Bozeman ins Krankenhaus, das geht schneller, als wenn wir auf den Krankenwagen warten. Ist das okay? … Gut. Sie ist bei Bewusstsein, aber sie hat die ganze Nacht im Regen gelegen.«

Einen Moment lang hört er zu, dann sagt er: »Wir sehen uns dort.«

Er sprintet zum Pick-up und rast los, die Heizung voll aufgedreht. Er zieht Kendall an sich und legt den Arm um sie. Auf halbem Weg nach Bozeman beginnt sie zu zittern. Jacián findet, das sei ein gutes Zeichen.

Vor der Notaufnahme hält er an und trägt sie herein, schnappt sich einen leeren Rollstuhl und den Erstbesten in einem Kittel.

»He, Sie, sie ist unterkühlt. Und klatschnass.« Er setzt Kendall in den Rollstuhl.

Der Pfleger zögert, blickt in den Warteraum und dann

auf Kendalls blaue Lippen und nimmt sie mit. Am Empfang gibt man Jacián ein Klemmbrett mit Formularen, das er nur mit leerem Blick anstarrt. Er geht zum Eingang, wo er auf Mr und Mrs Fletcher trifft. Während sie die Formulare ausfüllen, erzählt er ihnen alles, was er weiß.

Jacián steht nur da und sieht den langen, geschäftigen Gang entlang, überlegt und atmet tief durch. Und plötzlich holt ihn alles wieder ein. Er dreht sich um und geht hinaus, um den Pick-up zu parken.

Und um sich in den Griff zu bekommen, bevor er die Fassung verliert.

27

Es ist eine Lungenentzündung, wahrscheinlich durch die Erde verursacht, die sie eingeatmet hat, und der kalte Regen hat ein Übriges getan. Den ersten Tag verbringt Kendall mit hohem Fieber, das sie immer wieder in die Bewusstlosigkeit gleiten lässt. Sie nimmt nicht wahr, was um sie herum geschieht, nur am Rande ihres Bewusstseins trauert sie.

Der beste Freund der Welt, der Junge, der sie kannte wie kein anderer, der Pfleger werden wollte, um anderen zu helfen, ist tot. Und er starb auf entsetzliche Weise.

Ein Teil von ihr hatte geahnt, dass er tot war. Als Eli es auf der Party bei den Obregons gesagt hatte, war sie der Meinung gewesen, dass er wahrscheinlich recht hatte. Aber das Pult ... seine Stimme. Es macht sie immer noch verrückt.

Als sie aufwacht, sieht sie ihre Mutter, die neben dem Bett sitzt und liest, die Halbbrille auf der Nasenspitze. Es ist noch ein Bett im Zimmer, aber es ist leer.

»Hi Mum«, sagt Kendall heiser und zuckt zusammen. In ihrer Nase stecken Sauerstoffschläuche, und ihre Kehle ist rau und brennt. In einem Arm steckt eine Infusionsnadel, die Wunde am anderen Arm, wo sie sich an der Heckenschere verletzt hat, wurde genäht. Ihre Arme und Beine, selbst ihr Bauch sind voller Kratzer und blauer Flecken.

Mrs Fletcher setzt sich schnell auf, legt das Buch auf den Tisch und lächelt.

»Kendall! Wie geht es meinem Mädchen?«

Kendall deutet auf ihre Kehle und verzieht schmerzlich das Gesicht.

Mrs Fletcher greift nach einem Glas Wasser und hält Kendall den Strohhalm an die Lippen.

Sie saugt daran, und das kühle Wasser beruhigt ihren Hals.

»Möchtest du Stift und Papier?«, fragt Mrs Fletcher und sucht in ihrer Handtasche.

Kendall hat nicht die Kraft zu schreiben, aber sie nickt trotzdem. Warum nicht? Jetzt, wo sie wach ist, hat sie ein paar dringende Fragen.

»Nico ist tot«, schreibt sie.

Mrs Fletcher legt die Finger an die Lippen und überlegt, wie sie es sagen soll.

»Sie sind beide ... tot. Wusstest du das?«

Kendall nickt. Tränen steigen ihr in die Augen. Sie wusste es, doch es klingt erst wahr, als ihre Mutter es laut ausspricht.

»Sie exhumieren die Leichen für eine Autopsie. Die Quinns und die Cruz werden in ein paar Tagen eine richtige Beerdigung und eine Gedenkfeier auf dem Friedhof hinter der Kirche abhalten. Und jetzt versuchen alle, herauszufinden, wer sie ermordet hat und warum.« Mrs Fletcher ist ernst, ihre Stimme erfüllt von Sorge und Furcht. »Liebling, kannst du dich daran erinnern, wer dir das angetan hat? Wie hast du ... er ...« Sie kann es nicht aussprechen. »Die Polizei wird mit dir sprechen wollen.« Die Stimme versagt ihr, und sie greift nach einem Taschentuch.

Kendall weiß nicht, was sie sagen soll. Auf das Blatt

schreibt sie: »Ich kann mich wirklich an nichts erinnern.« Sie lügt nicht gerne, aber wenn sie die Wahrheit sagt, wird man sie einsperren.

Mrs Fletcher umarmt Kendall fest.

»Schon gut, Kleines. Sag der Polizei nur, an was du dich erinnerst, das ist alles, was du tun musst.«

Kendall nickt.

Als Sheriff Greenwood ins Krankenhaus kommt, bringt er den alten Mr Greenwood und Hector Morales mit, die vor ihrer Tür stehen bleiben, ohne hineinzusehen.

»Ich habe dir ein paar Besucher mitgebracht, falls du bereit bist, sie zu empfangen«, sagt er zu Kendall.

Sie nickt.

»Mrs Fletcher, kann ich Sie draußen kurz sprechen?«

»Natürlich.« Mrs Fletcher drückt Kendalls Knie durch die Bettdecke, bevor sie dem Sheriff folgt.

Während die beiden ins Wartezimmer gehen, um sich zu unterhalten, kommen Hector und der alte Mr Greenwood herein. Es ist seltsam, sie zu sehen.

»Kendall«, beginnt Hector, den Cowboyhut in der Hand. »Es tut mir leid wegen deiner Schmerzen.«

Kendall nickt und schont ihre Stimme.

»Wie geht es dir?«

Sie zuckt mit den Schultern und flüstert: »Okay.«

»Es ist seltsam, nicht wahr? Aber wir sind aus einem guten Grund hier. Ich muss dir eine Geschichte über einen meiner Freunde erzählen.«

Verwundert blickt Kendall von einem zum anderen und fragt sich, was los ist. Sie nickt und deutet auf die Stühle, damit sie sich setzen.

Nachdem er Platz genommen hat, sieht Hector vorsichtig zum alten Mr Greenwood hinüber, der sich auf dem anderen Stuhl niederlässt, die Lippen zu einem schmalen weißen Strich zusammenpresst und auf den Boden starrt.

Hector knetet die Finger im Schoß und blickt nach unten, als suche er nach den richtigen Worten. Nach ein paar Fehlversuchen beginnt er schließlich, eine Geschichte von einer längst vergangenen Zeit zu erzählen. Eine Geschichte über einen Jungen namens Piere, der in die Besserungsanstalt für jugendliche Straftäter in Cryer's geschickt wurde.

Er erzählt von den schrecklichen Verhältnissen dort und der grausamen Behandlung, der die Jungen ausgesetzt waren. Und wie dieser Piere eines Nachts auf dem Bauch schlafen musste, weil sein Rücken von Blut und Eiter troff, nachdem ihn der Direktor ausgepeitscht hatte. Er erzählt, dass in der nächsten Nacht Pieres bester Freund Samuel zum Auspeitschen hinausgeschickt wurde und dass sich Piere zu dem kleinen weißen Schuppen schlich, um durch den Türspalt zu schauen, obwohl er wusste, dass er wieder bestraft werden würde, wenn man ihn erwischte. Aber das war ihm egal. Er wollte für seinen Freund da sein.

Piere beobachtete, wie der Direktor, Horace Cryer, die Peitsche immer wieder auf Samuels Rücken und Schenkel klatschen ließ, während dieser sich mit gewölbtem Rücken über das Pult krümmte. Er sah, wie die Schwellungen auf Samuels Rücken größer und röter wurden, wie sich das Blut unter der Haut sammelte und beim nächsten Hieb hervorspritzte, durch die Luft und an die Wände.

Piere zählte, denn er wusste, dass Mr Cryer nur zwei Arten der Bestrafung kannte. Fünfunddreißig Hiebe für kleinere Vergehen und hundert für alles andere … und manchmal auch völlig grundlos.

Als Mr Cryer nach fünfunddreißig Hieben nicht aufhörte, krampfte sich Pieres Magen zusammen. Nach ein paar weiteren Hieben stieß Samuel einen markerschütternden Schrei aus, der Mr Cryer nur noch fester zuschlagen ließ. Piere sah, wie Samuels Ellbogen vom Tisch glitt, er mit Kopf und Brust aufschlug. Auf seiner Unterlippe war Blut. Er sah, wie sein Freund die Augen verdrehte und dann schloss.

Verzweifelt riss Piere an seinem Hemd, wodurch seine eigenen Wunden wieder aufrissen, dann stolperte er blindlings davon, zurück in sein Bett.

Er sah Samuel nie wieder.

Hector mustert Kendall. Sie hat die Finger in die Laken gekrallt und starrt ihn an. Diese unheimlichen Zahlen, fünfunddreißig und einhundert. Das Pult, an dem die Jungen verprügelt wurden ... Sie versucht, etwas zu sagen, hustet, trinkt einen Schluck, und versucht es noch einmal.

»Das ist eine schreckliche Geschichte«, flüstert sie. »Ist sie wahr?«

Hector nickt. »Ja. Es tut mir leid, aber ich musste sie erzählen.«

»Ist dieser Ort ... ist das da, wo ich war?«

»Ja.«

Sie beißt sich auf die Lippe und denkt an Samuel.

»Sie haben etwas von einem Tisch gesagt.«

Hectors Augen glänzen, und sein Gesicht verzieht sich vor Ärger und Reue. Er nickt.

»Alle Pulte in eurem Klassenzimmer kommen aus der Besserungsanstalt. Der Staat hat sie herüberbringen lassen, als eure Schule eröffnet wurde.«

Kendall starrt ihn nur an.

»Und als Jacián mir erzählt hat, was du sagtest, als er dich gefunden hat ... ich bin nicht abergläubisch«, sagt er und wedelt bekräftigend mit dem Finger. »Aber ich weiß, dass sie die Tische lieber dort hätten verrotten lassen sollen. An diesem Ort gab es etwas Böses. Etwas Böses im Herzen von Horace Cryer.«

Der alte Mr Greenwood sitzt mit versteinertem Gesicht da, als könne er es kaum ertragen, zuzuhören, doch er widerspricht nicht.

»Mr Cryer hat uns immer wieder auf diesem Tisch ausgepeitscht«, erzählt Hector. »Viele unserer Freunde hat er ermordet. Wir wussten nicht, was er mit den Leichen gemacht hat. Wir durften nicht durch das Tor hinaus. Aber jetzt wissen wir es ... jetzt wissen wir es. Da sind so viele Kreuze.«

Hector zieht ein Taschentuch aus der Manteltasche und wischt sich über das Gesicht, die Trauer überwältigt ihn.

»Du musst das verstehen, wir hatten niemanden. Wir waren entweder Waisen oder als hoffnungslose Straftäter aufgegeben worden, so wie ich. Wer hätte uns schon geglaubt? Wir sprachen nie darüber, erzählten es niemandem. Wir wollten es einfach nur vergessen.« Er tupft sich die Augenwinkel. »Wir wollten ein neues Leben anfangen, wenn wir hinauskämen.«

Kendall schweigt entsetzt, während sie versucht, zu verstehen. Die Seelen der toten Jungen ... in das Pult hineingeprügelt? Dort gefangen, zornig, ihr Werk unvollendet ... eingelagert all die Jahre? Und sie konnten nur befreit werden, wenn sie einen Körper fanden, den sie besetzen konnten? Das war unmöglich. Das würde ihr niemand glauben. Doch hier saßen zwei der angesehensten Menschen von Cryer's Cross, und keiner von ihnen leugnete es.

»Wir wissen von der Stimme«, sagt der alte Mr Greenwood plötzlich. Dann sieht er Kendall abschätzend an.

»Wenn du das jemandem erzählst, werde ich es leugnen, aber ich habe das Flüstern auch gehört.«

Kendall reißt die Augen auf. »Wirklich?«

Er nickt und sieht wieder zu Boden, als ertrage er es nicht, ihr in die Augen zu blicken.

»Ich wusste nicht, woher es kam. Ich habe dem Tisch keine besondere Aufmerksamkeit geschenkt, als ich die Pulte verschoben habe.« Er wischt sich mit der Hand über die Augen. »Fünfunddreißig, einhundert, ist mir im Kopf herumgegangen. Die Zahlen haben mich verfolgt. Ich dachte, es läge an mir, dass ich langsam senil würde. Posttraumatischer Stress oder so etwas. Die Stimme klang wie die … von Samuel.«

»Zu mir hat sie mit Nicos Stimme gesprochen«, flüstert Kendall. »Tiffany und Nico haben beide an diesem Pult gesessen.«

»Ja, das hat Jacián mir erzählt. Wir haben es uns zusammengereimt«, entgegnet Hector. »Er hat gesagt, als er das Pult berührt hat, hat er ebenfalls Stimmen gehört.« Er sieht auf, durch die offene Tür in den Gang. »Gleich kommt der Sheriff zurück. Er weiß von unserem Verdacht wegen des Tisches, aber er weiß nicht, was er glauben soll und will sich nicht auf eine so unnatürliche Geschichte verlassen. Ich kann es ihm nicht verdenken – zwei alte Zausel mit einem merkwürdigen Verdacht. Aber wir werden diesen Tisch entfernen, keine Sorge.«

Kendall nickt. »Danke.« Sie verspürt eine ungeheure Erleichterung darüber, dass sie diesen Albtraum nicht mehr allein durchleben muss.

»Er wird dich fragen, an was du dich erinnerst. Es liegt an dir, ihm zu sagen, was du willst, wenn er dir Fragen stellt. Aber was die Menschen von Cryer's Cross und die Medien im Land angeht, suchen wir nach einem flüchtigen Entführer und Mörder.« Er hält inne, und seine Stimme wird weich. »Vielleicht ist es auch für dich am besten, wenn es dabei bleibt.«

Kendall lässt ihren schwindeligen Kopf in die Kissen sinken.

Als der Sheriff mit Mrs Fletcher hereinkommt, lächelt Hector Kendall zu und drückt ihre Hand.

»Vielen Dank, dass Sie gekommen sind, meine Herren«, bedankt sich Mrs Fletcher bei ihnen. »Es bedeutet mir eine Menge, dass Sie sie besucht haben.«

Hector tippt sich an den Hut.

»Kendall ist ein ganz besonderes Mädchen, Mrs Fletcher, und eine gute Freundin von mir und meinen Enkeln«, antwortet er mit glänzenden Augen. »Es ist, als gehöre sie zur Familie.« Er steht auf, und der alte Mr Greenwood macht Anstalten, es ihm gleichzutun. Hector sieht ihn an und streckt die Hand aus. »Fertig?«

»Ich brauche deine Hilfe nicht«, grollt der alte Mr Greenwood.

28

Dem Sheriff erzählt sie, sie könne sich an nichts erinnern, nur dass sie das Gefühl hatte, unter Drogen zu stehen und ihre Handlungen nicht kontrollieren zu können. Die Tests konnten keine Drogen in ihrem Körper nachweisen, doch die Reporter bekamen trotzdem einen anonymen Hinweis.

Drei Tage später liegt sie immer noch im Krankenhaus, und der kleine Strom von Besuchern ist eben gegangen. Das Lokalfernsehen überträgt, wie die Menschen zur Gedenkfeier für Nico und Tiffany eintreffen. Für Südwest-Montana ist das eine große Sache. Etwa siebzig oder achtzig Fremde treiben sich auf dem Friedhof herum, jene merkwürdigen Gestalten, die sich von der Geschichte angezogen fühlen und auf unerklärliche Weise das Gefühl haben, mit den beiden toten Teenagern in Verbindung zu stehen. Es ist seltsam, sie zu sehen. Doch noch seltsamer ist es, die Menschen zu sehen, die sie kennt und täglich trifft, wie sie ernst und in Trauerkleidung beisammenstehen. Sie sieht Nicos und Tiffanys Familien ganz vorne, wo die Kamera in ihre Trauer eindringt.

Sie entdeckt ihre eigenen Eltern, die älter aussehen, als sie sie in Erinnerung hat. Sie sieht die Greenwoods und die Shanks und ein paar andere Leute aus Cryer's Cross, und es kommt ihr schrecklich vor, wie oft die kleine Stadt sich in den letzten fünf Monaten hat versammeln müssen, wegen einer weiteren Tragödie alles andere unterbrochen hat und danach ihr Leben wieder aufnahm.

Die Särge hängen über den Gräbern in einem Teil des Friedhofs ohne Familiengräber. Teenager sollten nicht sterben. Kendall greift nach einem Extrakissen und presst es an die Brust. Sie fragt sich, warum um alles in der Welt sie ihre Mutter dazu überredet hat, zur Gedenkfeier zu gehen und sie hier allein zu lassen.

Sie sieht Hector und die Obregons. Marlena trägt ein schwarzes Kleid, Jacián einen schwarzen Anzug mit weißem Hemd, keine Krawatte. Sie setzen sich, und Jacián wippt ungeduldig mit dem Fuß, während sie darauf warten, dass es anfängt. Und schließlich beginnen sie.

Ein paar Minuten später meldet sich der Nachrichtensprecher und berichtet von etwas anderem, einem Brand in der Stadt oder etwas Ähnlichem, und der Gottesdienst wird nicht mehr eingeblendet. Kendall macht den Fernseher aus und starrt an die Decke, um Nicos auf ihre eigene Weise zu gedenken. Sie denkt an sein Lächeln und das Leuchten in seinen Augen. Daran, dass er alles für sie getan hätte und sie für ihn.

Sie denkt an ihre Romanze, die sozusagen als Nebenprodukt ihrer Freundschaft, als ein Experiment, begonnen hatte. Ihre Eltern hatten immer davon gesprochen, dass sie für immer zusammenbleiben würden. Es war einfach schon seit ihrer Kindheit so vorherbestimmt.

Sie muss daran denken, dass sie ihn nie gerne als ihren festen Freund bezeichnet hat, bevor er verschwand. Sie weiß, dass er in sie verliebt gewesen ist. Aber sie hatte ihn nur lieb. Es war nicht dasselbe. Er war so ein guter Mensch, dass sie wusste, sie hätte ihn lieben sollen. Wer hätte das nicht? Aber es war keine Leidenschaft dabei gewesen. Es war nett, versteht sie nun, aber mehr auch nicht. Sie denkt daran, was bei ihnen so besonders gewesen ist. Dass das Küssen nicht wirklich wichtig war. Aber Loyalität, darum hatte sich alles gedreht.

Die Tränen laufen ihr über das Gesicht, als sie an Nicos Gutherzigkeit denkt. An die Erinnerungen, die sie nie vergessen wird. An all die vielen Male, die er für sie eingetreten ist, das einzige Mädchen in der Klasse, und all die Male, die sie ihn ehrlich geschlagen hat, in einem Fußballspiel, bei einem Test oder einem Rennen hinunter zum Fluss. Sie weint für all die Menschen, denen er nicht mehr helfen kann, wegen des Schulabschlusses, den er nie bekommen wird, wegen seiner Eltern und seiner Familie, die nie wieder dieselbe sein wird. Und wegen des Lochs in ihrem Herzen, das der Verlust des besten Freundes hinterlassen hat.

Und dann weint sie wegen der Art, wie er sterben musste. Sie weiß, was er durchgemacht hat, und sie kann nur hoffen, dass er so sehr unter dem Einfluss der verlorenen Seelen stand, dass er nicht merkte, was er sich selbst Schreckliches antat. Sie fragt sich, wessen Stimme er gehört hat. Vielleicht war es Tiffanys. Er war der Typ dafür, jemanden in Not zu retten, daran gibt es keinen Zweifel. Aber darauf wird sie niemals eine Antwort bekommen.

Es waren ihre Zwangsstörungen, die sie gerettet haben. Das weiß sie. Und auch wenn sie es hasst, wie sie sie beeinflussen und ihren Tagesablauf stören, schwört sie, dass sie sich nie wieder darüber beschweren wird.

★★★

Sie sitzt auf einem Stuhl, frisch geduscht und leicht erschöpft von der Anstrengung, aber sie wünscht sich trotzdem, sie könne einfach aus dem Krankenhaus weglaufen, als plötzlich das Telefon klingelt. Sie schlurft hinüber und nimmt ab. Ihre Stimme ist noch immer kratzig, aber die Schmerzen in ihrem Hals lassen langsam nach.

»Hallo?«

»Hi.«

Ihr Magen verkrampft sich. »Hi. Wie geht es dir?«

Es herrscht Stille in der Leitung, und Kendall fragt sich, ob Jacián schon wieder aufgelegt hat.

Doch endlich antwortet er. »Mir geht es gut. Ich … ich wollte nur fragen, wie es dir geht. Ist es ein schlechter Zeitpunkt?«

»Nein. Ich meine ja, es geht mir gut. Nein, es ist kein schlechter Zeitpunkt.« Sie setzt sich auf die Bettkante. »Ich habe dich im Fernsehen gesehen, bei der Gedenkfeier …«

»Tatsächlich?«

»Ja. Aber es war nicht lange. Sie haben gleich zur nächsten Tragödie umgeschaltet. Du hast gut ausgesehen.«

»Danke. Kendall?« Er klingt ängstlich.

»Ja?«

»Es tut mir leid, dass ich dich nerve. Ich weiß, dass es eine schwere Zeit für dich ist, wegen Nico und all dem, und wahrscheinlich willst du mich gar nicht sehen. Aber ich habe gerade an dich denken müssen … Gott. Ich muss immer an dich denken. Hast du etwas dagegen, wenn ich zu dir hochkomme?«

Kendall stutzt. »Wo bist du denn?«

»In der Lobby.« Er klingt jämmerlich.

Kendalls Magen macht einen Satz. Sie schluckt schwer. »Ich … ich sehe grässlich aus. Blaue Flecken, Schrammen … Aber ich schätze mal, das hast du schon gesehen.«

»Wenn du nicht willst, dass ich raufkomme, ist das in Ordnung. Es war nur so eine spontane Idee. Ich bin nach dem Gottesdienst herumgefahren und hier gelandet. Ich kann auch wieder fahren.«

»Nein! Ich meine, bitte, komm herauf. Ich wollte dich nur warnen. Zimmer vier sechzehn.«

Es ist still. Sie hört einen Atemzug. »Ich bin auf dem Weg.«

Kendall legt auf und rennt ins Bad, um ihre Haare zu richten. Sie schüttelt sie vors Gesicht, um die Schrammen zu verstecken, doch das sieht noch schlimmer aus, also streicht sie sie wieder nach hinten. Schnell schlüpft sie in ihren Morgenmantel und hört einen Augenblick später ein leises Klopfen.

Sie holt tief Luft und öffnet die Tür.

Er kommt herein.

Einen Augenblick lang bleibt er zögernd stehen. Er trägt immer noch seinen Anzug von der Beerdigung, das Hemd herausgezogen und die schwarzen Haare vom Wind zerzaust. Er sieht sie von Kopf bis Fuß an und heftet seinen Blick schließlich auf ihre Augen. Dann sagt er sanft: »Du siehst gar nicht schrecklich aus.«

Ihr Magen macht einen beängstigenden Salto.

Er geht zu ihr, breitet die Arme aus, und sie schlingt ihre um seinen Hals und spürt die abendliche Kälte in seinem Jackett.

Sie halten sich gegenseitig sanft fest. Die Gedanken überschlagen sich in ihren Köpfen, Erinnerungen daran, wie er sie gefunden hat. Sie vergräbt ihr Gesicht an seinem Hals.

»Danke, dass du mir das Leben gerettet hast«, flüstert sie. »Das alles war wirklich schrecklich.«

Sie kann die Schluchzer nicht mehr unterdrücken.

Er streicht ihr übers Haar und schluckt schwer.

»Das hast du selbst getan«, sagt er. »Ich weiß nicht, wie

du es getan hast. Wie du das geschafft hast, was Tiffany und Nico nicht konnten. Aber du hast dich selbst gerettet«, murmelt er. »Du hast es geschafft, du ganz allein.«

»Ohne dich wäre ich da draußen erfroren.«

Er hält sie fester.

»Es tut mir so leid«, flüstert er und presst die Lippen in ihr Haar.

Alles in ihr beginnt zu schmelzen.

Sie ist wie Schokoladeneis in seiner Hand.

Wir

Wir schreien, aber das Geräusch verliert sich.
Keiner hört mehr zu. Ein Teil von Uns ist fort,
gefangen, schlafend im Leben. Alte Wärme streift
den Rand Unserer Oberfläche, stößt uns herum,
schubst uns fort, fort. Vielleicht finden Wir jetzt
neue Wärme, neues Leben. Wir beruhigen Uns.
Und wieder warten wir.

29

Sie ist nervös, als sie das erste Mal wieder in die Schule geht. Sie wartet am kalten Fenster, das von ihrem Atem beschlägt, bis sie den Pick-up sieht. Dann küsst sie ihre Mutter und ihren Vater zum Abschied. Sie winken und widmen sich dann wieder ihrer Zeitung und dem Kaffee – eine kleine Belohnung, ein Luxus nach einer weiteren eingebrachten Ernte.

Jacián stößt die Beifahrertür von innen auf, und sie steigt ein. Dann wendet er und fährt die Einfahrt entlang.

»Wo ist Marlena?«

»Sie ist in den letzten Tagen immer mit Eli gefahren. Nach der Gedenkfeier haben sie zusammengehockt. Ich glaube, da läuft was.« Er wirft ihr einen Seitenblick zu.

Sie grinst. »Wie schön! Eli ist ein süßer Junge. Das ist perfekt.«

Er zuckt die Achseln. »Ich weiß nicht recht. So kleine Sachen werden überbewertet, wenn du mich fragst.«

»Ach ja?«

»Klar. Für mich heißt es alles oder gar nichts. Jawohl.«

Kendall kneift die Augen zusammen. »Ich hätte schon wieder Lust, dich zu schlagen.«

»Oh!« Er fährt langsamer.

»Nein! Wir müssen zur Schule! Dafür haben wir jetzt keine Zeit!«

»Stimmt. Mein Fehler.«

»Bitte sag mir, dass jemand die Tische gerade gerückt hat, während ich nicht da war.«

»Sicher. Ich.«

»Das hast du für mich getan?«

Er sieht sie an, als sei sie verrückt. »Äh … nein. So nett bin ich nun auch wieder nicht.«

»Oh. Haha.« Kendall atmet tief durch. »Mann, bin ich aufgeregt, dort hineinzugehen.«

Jacián fährt auf den Parkplatz, nimmt ihre Hand, küsst sie und sieht sie unter seinen dichten schwarzen Wimpern hervor an.

»Du schaffst das schon.«

Es ist seltsam, wieder hier zu sein. Sie geht hinein und schaut sich um. Dreht den Papierkorb um, sortiert die Kreide, zieht die Vorhänge auf und prüft die Riegel.

»Alles geprüft und in Ordnung«, flüstert sie.

Dann sieht sie die Pulte an.

Es sind alle da. Vierundzwanzig. Sie durchbricht ihr übliches Muster und geht zuerst in den Bereich der Zwölftklässler. An Nicos Platz bleibt sie stehen. Jacián beobachtet sie schweigend.

»Das ist ein anderer Tisch«, sagt sie.

»Ja.«

»Den habe ich hier noch nie gesehen.« Sie fährt sorgfältig mit dem Finger über die Kritzeleien, bereit, sie beim leisesten Flüstern zurückzuziehen. Doch nichts geschieht. Es ist nur ein Tisch.

»Ich bin froh, dass sie ihn ausgetauscht haben. Es würde falsch aussehen, wenn hier eine Lücke wäre.«

»Das habe ich auch gesagt«, erklärt Jacián und geht zu ihr hinüber. »Er kommt aus dem Lager. Ich habe gesagt, es würde für die anderen Schüler nicht so verdächtig aussehen, wenn einfach ein anderes Pult hier stünde, und dass nur wir beide bemerken würden, dass es ausgetauscht wurde.«

Tief in Gedanken nickt sie. Dann wendet sie sich zu ihm um und sieht ihm forschend ins Gesicht.

»Hector hat gesagt, du hättest das Flüstern auch gehört.«

Er nickt.

»Ja. Ich habe geglaubt, meine Sinne spielen mir einen Streich. Aber dann habe ich mich daran erinnert, wie du diesen Tisch umarmt hast, wenn du hier gesessen hast.« Er berührt sie am Arm. »Ich habe meine Hand viel länger darauf liegen lassen, als ich zugeben möchte. Ich konnte nicht aufhören. Beinahe hätte er mich auch gehabt, Kendall.«

Sie beißt sich auf die Lippe.

»Wessen Stimme hast du gehört?«

Er schluckt, berührt ihr Gesicht.

»Deine.«

Nach der Schule fährt sie mit Jacián zu dem kleinen Friedhof. Ein paar Schneeflocken fallen auf den grauen Boden. Kendall steigt aus dem Pick-up und geht langsam zu den Gräbern. Jacián bleibt zurück, lässt ihr etwas Raum. Sie starrt auf die frische Erde und schaudert vor Kälte und vor der Erinnerung, der Erinnerung an sein lebloses Gesicht, das sie nie wieder vergessen wird.

Sie kämpft gegen die Gedanken an, die sich in ihrem Kopf breitmachen wollen. Stattdessen konzentriert sie sich auf neue, erinnert sich an die schönen Zeiten mit dem besten Freund, den man sich nur vorstellen konnte. Sie gibt Jacián über die Schulter hinweg ein Zeichen, streckt die Hand nach ihm aus und legt sie ihm um die Taille. Er legt den Arm um ihre Schulter und zwirbelt abwesend ihre Haare in den Fingern. Gemeinsam und in Stille erweisen sie Nico die letzte Ehre.

Sie hat keine Tränen mehr.

Im leise fallenden Schnee kniet sie neben dem Grab. Sie schließt die Augen und stellt ihn sich vor, das lange blonde Haar, das um sein Gesicht fliegt, und sein Grinsen. Sie lächelt ihm zu.

»Ich werde dich vermissen«, haucht sie. »Auf Wiedersehen, Nico.«

Am Abend sind Jacián und Kendall auf Hectors Ranch. Auf dem Küchentisch stapeln sich Kataloge um einen Laptop. Sie recherchieren.

»Da ist die *NYU Tisch* in New York«, erklärt Jacián. »Oder die *FSU Dance*. Das ist in Florida. Was ist mit Hartford?«

Kendall blättert in den Broschüren.

»Es gibt eine Menge Tanzschulen«, muss sie zugeben.

»San Diego, Ohio oder, hey, vielleicht die Universität von Arizona. Da unten haben wir gewohnt.«

»Keine Kartoffeln?«

Jacián muss lächeln. »Keine Kartoffeln. Zitronen, Limonen, Avocados. Und ein paar Pferde.«

»Ich mag Pferde. Und ich hasse Kartoffeln.«

Er drückt sie an sich. »Sobald deine Noten wieder besser sind, hast du jede Menge Möglichkeiten.«

Kendall seufzt.

»Ja, was die Noten angeht, war es wahrscheinlich keine so gute Idee, alles und jeden zu ignorieren.«

»Hey«, sagt er und hebt ihr Kinn an, sodass sie ihm in die Augen sehen muss. »Du hast es überlebt.«

Sie nickt.

»Lass uns eine Pause machen.«

Sie ziehen ihre Jacken an und gehen auf die Veranda. Draußen ist es eiskalt. Jacián lehnt sich ans Geländer, zieht sie an sich und küsst sie sanft. Sie lehnt sich an ihn und hält ihn fest, fühlt seinen Körper durch sein Hemd und seinen Herzschlag an ihrem. Träge zählt sie die Schläge, mehr aus Gewohnheit als aus Zwang.

»Ich rieche ein Feuer«, sagt sie schließlich.

»Hm-hm.«

»Willst du laufen? Sollen wir nachsehen?«

»Klar.«

Sie gehen Hand in Hand, bis sie die Flammen sehen und das Knistern hören können. Hector und der alte Mr Greenwood haben Schaufeln in der Hand. Das flackernde Feuer lässt ihre Schatten gespenstisch auf den Bäumen hinter ihnen tanzen. Das Gerippe des Pultes steht auf seinen Metallfüßen, das Feuer leckt daran, und wütender Rauch steigt empor.

Jacián und Kendall kommen vorsichtig näher, dann sehen sie zu. Schweigend stehen sie neben den ernsten Männern, und sie denken an die Jungen, die vor so vielen Jahren auf diesem Pult gestorben sind. Und die Schüler, die im letzten Jahr deshalb ihr Leben lassen mussten.

Kendall räuspert sich.

»Was ist eigentlich aus dem Jungen in der Geschichte geworden? Piere?«

Hector reißt sich aus seinen Gedanken und sieht den alten Mr Greenwood an, der finster in das Feuer starrt.

»Er hat es geschafft«, sagt Hector leise. »Er hat sich stolz gemacht.«

Als der Holztisch in sich zusammenfällt und in der Asche versinkt, spürt Kendall, wie ihr ein kalter Hauch aus der Lunge entfährt, und hört einen schwachen, langgezogenen Schrei.

Doch dann ist es wieder still.

Wir

Wir spüren die Hitze und einen Moment lang glauben Wir! Das Leben ist zurück! Doch diese Hitze ist intensiv, nicht sanft. Nicht nachgiebig, sondern sengend. Schmerzhaft.

Wir stöhnen, schreien. Unser Gesicht knackt wie Gewehrfeuer, wie eine Peitsche. Fünfunddreißig, einhundert. Einhundert! EINHUNDERT!

Das Feuer verschlingt Unseren hölzernen Wirt. Er brennt, bricht, explodiert. Es befreit die restlichen Seelen, um umherzuirren und ihre letzte Ruhestätte zu finden.

Oder.

Um ein neues Versteck zu suchen.

Und zu warten.

Berühr mich!

*Wem kann man noch trauen, wenn nicht der
besten Freundin?*

Elizabeth Woods
CARAS SCHATTEN
Aus dem amerikanischen
Englisch von
Anja Hackländer
288 Seiten
ISBN 978-3-8339-0109-6

Als Kinder haben sich Cara und Zoe ewige Freundschaft geschwo-
ren. Inzwischen sind beide 16 Jahre alt und leben schon lange in
verschiedenen Städten. Doch plötzlich steht Zoe vor Caras Tür.
Cara nimmt sie überglücklich bei sich auf.
Zoe ist wieder da, ihre einzige Vertraute. Doch irgendwie benimmt
sie sich seltsam. Und dann stirbt plötzlich Caras Erzfeindin ...

*»WOW. Einfach nur wow. Ich stehe unter SCHOCK. Ich habe
GÄNSEHAUT. Mir läuft es kalt den Rücken runter. Das war einfach
gruselig.«* LESERSTIMME AUF GOODREADS.COM

Baumhaus Verlag